Sebastian Delißen / Felicitas Lowinski

Know-how für Gruppenleiter

Sebastian Delißen
Felicitas Lowinski

Know-how für Gruppenleiter

Praxisbuch für Gruppenleiter in der kirchlichen Jugendarbeit

Verlag Butzon & Bercker Kevelaer
Verlag Haus Altenberg Düsseldorf

Bibliografische Information
Der Deutschen Bibliothek

Die Deutsche Bibliothek verzeichnet diese
Publikation in der Deutschen Nationalbibliografie;
detaillierte bibliografische Daten sind im Internet
über http://dnb.ddb.de abrufbar.

ISBN 3-7666-0528-3 Verlag Butzon & Bercker
ISBN 3-7761-0101-6 Verlag Haus Altenberg

Umschlaggestaltung und Piktogramme
im Innenteil: Eva Westerdick, Düsseldorf
Satz: Arnold & Domnick, Leipzig

Inhaltsverzeichnis

Entwicklung deiner Gruppe

Vorbereitung von Gruppenstunden

Projektarbeit konkret 89

Den Spuren Gottes folgen – religiöse Impulse in der Gruppenarbeit 109

Einleitung

... wir über uns

Bevor du nun anfängst zu lesen, möchten wir uns kurz vorstellen. Uns ist es wichtig, dass du erfährst, von wem dieses Buch geschrieben wurde. Und dabei soll es nicht bleiben, denn wir wollen mit dir gemeinsam vieles erarbeiten. Aber zuerst einmal etwas über uns. Beginnen wir schon jetzt mit einer Methode, nämlich den anderen in drei Sätzen kurz vorzustellen:

Felicitas, 36 Jahre alt, lebt in Neuss und arbeitet nach ihrem Studium als Jugendbeauftragte in der Region Mönchengladbach und an der Hochschule Niederrhein.
An Felicitas fasziniert mich besonders die kreativ-künstlerische Seite; Begegnungen, Räume und Situationen werden für mich zu neuen Erfahrungsmomenten und oft zu wirklichen Überraschungen.
Mit ihr arbeite ich seit vielen Jahren in der Gruppenleiterausbildung zusammen und bin immer wieder erstaunt, wie gut wir beide gemeinsam arbeiten und uns ergänzen, trotz oder gerade auch durch unterschiedliche Methoden und die Art des Leitens.

Sebastian, 28 Jahre alt, wohnt in Mönchengladbach, ist Lehrer an einer Realschule, engagiert sich seit acht Jahren in der Gruppenleiter-Ausbildung in der Region Mönchengladbach und ist in der kirchlichen Jugendarbeit seiner Heimatpfarre engagiert.
Sebastian ist ein feinfühliger, behutsamer und fantasievoller Mensch; er mag Muße, das Meer und manchmal die Melancholie.
Eins seiner großen Talente besteht darin, eine besinnliche Atmosphäre für gute Gedanken und Meditationen zu schaffen.

…und wer bist du?

Ein Gruppenleiter zwischen etwa 14 und 18 Jahren?
Es freut uns, dass du Verantwortung in der kirchlichen Jugendarbeit übernommen hast oder übernehmen wirst; das ist heute gar nicht so einfach. Und das auch noch ehrenamtlich …
Wo stehst du zur Zeit mit deiner Gruppe? Hast du Vorbilder? Wie sehen dich deine Kids? Bist du die super Engagierte, der Macher oder der Ruhige …?
Bist du durch deine Eltern oder Freunde überredet worden Gruppenleiter zu werden? Ist dir etwas „heilig“ an der Kirche? Wolltest du einfach dazugehören oder ist dir die kirchliche Jugendarbeit eher etwas peinlich?

Nun, genug der Fragen oder Anregungen zur Standortbestimmung.
Auf jeden Fall hast du jede Menge davon, von deiner Arbeit als Gruppenleiter:

- Spaß mit deiner Gruppe und jede Menge Arbeit, bei der wir dich unterstützen wollen,
- eine Chance, Leiten zu üben und zu lernen und dadurch Anerkennung, Selbstbestätigung und Stress (im positiven und negativen Sinn!) zu erhalten,
- eine wichtige pädagogische Aufgabe zu übernehmen und dafür eine öffentliche Bestätigung zu bekommen.

Du erkennst aus den Kapitelthemen schon unsere Schwerpunkte. Wir wollen zunächst auf dich als Gruppenleiter und deine Gruppe schauen, um dir dann in den anderen Kapiteln viele Tipps und Vorschläge für deinen konkreten Alltag zu geben. Alle Kapitel sind mit Methoden untermauert, die du alleine oder in der Gruppe durchführen kannst. Das ist natürlich freiwillig, doch der Mutige wird belohnt!
Du brauchst das Buch auch zuerst nicht von vorne bis hinten durchzulesen, sondern kannst dir – je nach Notwendigkeit und Interesse – immer das Kapitel vornehmen, welches gerade für dich wichtig ist.

Wenn du Fragen hast oder einfach nur einen Kommentar an uns über dieses Buch loswerden willst, dann schreibe uns doch einfach eine E-Mail: kontakt@gruppenleiter-buch.de. Du findest uns übrigens auch im Internet unter www.gruppenleiter-buch.de.

Dieses Buch wäre ohne die Hilfe von tollen Menschen nicht zu Stande gekommen, die uns bei unserer Arbeit unterstützt haben. Wir danken allen Jugendlichen und Erwachsenen, die wir gemeinsam auf den Schulungen und in den Gemeinden kennen lernen durften. Gemeinsam haben wir vieles ausprobiert, entwickelt, verworfen und neu gestaltet.
Wir grüßen Rico Bartsch, der mit uns das Konzept dieses Buches erarbeitet hat und aus beruflichen Gründen leider nicht an der Realisierung „unseres Projekts" teilnehmen konnte.

Und nun wünschen wir dir viel Spaß mit diesem Buch und viel Erfolg bei deiner Arbeit als Gruppenleiterin und Gruppenleiter.

Deine Rolle(n) als Gruppenleiter

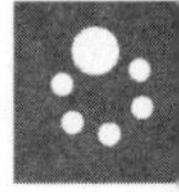

Bevor wir deine Gruppe in den Blick nehmen, wollen wir dir als Gruppenleiter (wir verwenden ab jetzt die Abkürzung GL), der sehr viel Verantwortung übernimmt und Zeit investiert, auf den Zahn fühlen: Warum möchtest du GL werden? Was kannst du als GL besonders gut? Was vielleicht nicht? Welcher Typ eines GL bist du? Der strenge oder eher der liebe? Mit wem leitest du eine Gruppe? Wer hilft dir bei deiner Arbeit und unterstützt dich bei Problemen? Das alles sind wichtige Fragen, die nicht zu kurz kommen dürfen. Bevor du in deine Arbeit als GL einsteigst, solltest du dich mit diesen Fragen auseinander setzen, denn es kann in der ersten Zeit deines GL-Daseins einige Schwierigkeiten geben, sodass du plötzlich wenig Lust hast, weiterzumachen.

Was für ein Typ bist du eigentlich?

Für deine Arbeit als GL ist es wichtig, dir deiner Stärken und Schwächen bewusst zu werden. Du kannst und brauchst nicht sofort alles perfekt zu machen. Es gibt Dinge, die kannst du besonders gut, es gibt aber

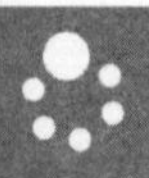

auch Dinge, mit denen du Schwierigkeiten hast. Vielleicht bist du jemand, der sehr gut auf Menschen, gerade Kids, zugehen kann, sie motivieren und begeistern kann. Du kannst auch gut organisieren und planen. Aber das Spielen liegt dir nicht so und es fällt dir schwer, die richtigen Spiele und Methoden für deine Gruppenstunden vorzubereiten. Dir muss klar sein, dass du eben nicht alles kannst: Aber was du kannst, das machst du gut!
Folgende Methode kannst du in der Leiterrunde, mit Freunden oder möglicherweise mit dem anderen GL, der mit dir eine Gruppe leitet, durchführen. Du sollst dir vor Augen führen, warum du GL geworden bist. Was ist für dich das Besondere an deiner Arbeit? Welche Stärken und Schwächen hast du?

Hinweis: Immer, wenn in diesem Buch Methoden vorgestellt werden, begegnen dir folgende Abkürzungen: A (Alter), Z (Zeitaufwand), V (Vorbereitung), D (Durchführung).

Umrisse – meine Rolle(n) als GL

A: ab 14 Jahre
Z: 30 Min. (je nach Teilnehmerzahl)
V: große Pappen bzw. Tapetenrollen, Stifte

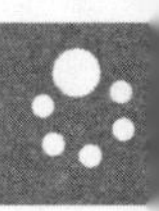

D: Jeweils zwei GL bilden eine Kleingruppe. Es wird auf die Pappe bzw. auf eine Tapetenbahn abwechselnd der Umriss eines GL gemalt. Anschließend soll jeder in seinem Schattenumriss wichtige Eigenschaften und Stärken schreiben: Was kannst du besonders gut? Was nicht? Was bist du für ein Typ? Wie sehen dich andere? Was sind deine Hobbys? Warum bist du GL geworden?
Anschließend werden die Ergebnisse in der Gruppe vorgestellt.

Aber wir sind noch am Anfang …

Immer wieder hören wir in Gesprächen, dass doch GL-Ausbildungen und Bücher (wie dieses?!) unnötig seien, denn Gruppen leiten könne schließlich jeder.
Diese Meinung vertreten wir ganz und gar nicht! Nicht jeder Mensch hat das Zeug dazu, Gruppen zu leiten, zu führen und mit ihnen gemeinsam einen Weg einzuschlagen. Vielleicht läuft manches Mal in der kirchlichen Jugendarbeit etwas schief, weil bestimmte Menschen sich mit dem Leiten von Gruppen besonders schwer tun. In der Gruppenleiterausbildung legen wir immer Wert darauf, den Jugendlichen auch zu sagen: Ja, du bist geeignet. Wenn du dir Mühe gibst, kannst du ein guter GL werden. Oder: Die Arbeit als GL wird

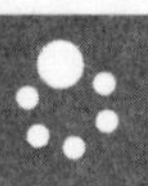

wohl nicht das Richtige für dich sein. Natürlich müssen solche Sätze wohlbedacht werden, und nicht immer lagen wir mit unserer Meinung richtig. Wenn du jetzt unsicher bist, möchten wir dich trotzdem auf deinem Weg unterstützen, denn nur die wenigsten Jugendlichen sind ungeeignet für diese Tätigkeit. Auch wenn vieles zu Beginn schief läuft, lernst du aus diesen Fehlern und wirst mit der Zeit ein guter GL. Uns ist es wichtig, dass du dir bewusst machst, welche Fähigkeiten du hast und an welchen Fähigkeiten du als GL noch arbeiten musst. Und GL müssen ganz besondere Fähigkeiten haben, denn sonst kann Gruppenarbeit nicht funktionieren. Und um diese Fähigkeiten soll es jetzt gehen…

Die fünf wichtigsten Eigenschaften eines GL

A: ab 14 Jahre
Z: 30 Min.
V: Liste mit den Fähigkeiten eines GL kopieren
D: Diese Methode kannst du alleine oder in der Leiterrunde durchführen. Nimm dir Zeit und überlege, welche für dich die fünf wichtigsten Eigenschaften eines GL sind. Kreuze diese fünf Eigenschaften auf der Liste an. Ihr könnt auch eigene Eigenschaften, die euch auf der Liste fehlen, zusätzlich erwähnen.

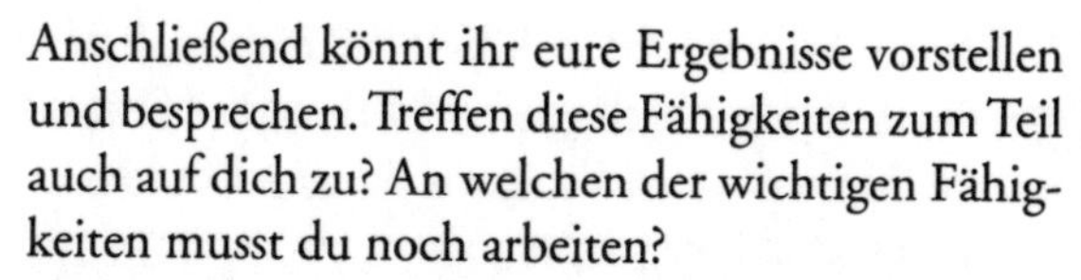

Anschließend könnt ihr eure Ergebnisse vorstellen und besprechen. Treffen diese Fähigkeiten zum Teil auch auf dich zu? An welchen der wichtigen Fähigkeiten musst du noch arbeiten?

Die fünf wichtigsten Fähigkeiten eines GL

aktiv
partnerschaftlich
diskret
kontaktfähig
kritisch
engagiert
neugierig
pünktlich
streitsüchtig
kumpelhaft
hinterlistig
beliebt
fleißig
schweigend
sportlich
ideenreich

konfliktfähig
lässig
zuverlässig
machtvoll
offen
musikalisch
stur
freundlich
selbstsicher
gerecht
zuhörend
selbstkritisch
mutig
tolerant
witzig
erfahren
erzieherisch

lebenslustig
führend
trickreich
kreativ
verantwortlich
fehlerhaft
geschickt

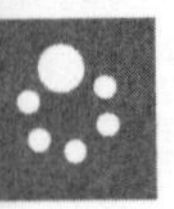

In einer größeren Gruppe könnt ihr auch nach der ersten Präsentation überlegen, auf welche der fünf wichtigsten Eigenschaften ihr euch einigen könntet. Diskussionen sind hier vorprogrammiert und erwünscht!

Selten konnten wir uns bei unseren Schulungen auf die fünf wichtigsten Eigenschaften einigen. Aber die Tatsache, dass wir darüber lange diskutierten, ist schon viel wert. Einmal haben wir uns mit anderen erfahrenen GL auf folgende fünf Eigenschaften festgelegt: verantwortungsbewusst, selbstkritisch, konfliktfähig, kreativ, offen.

Viele andere Fähigkeiten sind natürlich auch wichtig, können jedoch auch unter diese fünf gefasst werden. Zwei kurze Anmerkungen zu den von uns gewählten Eigenschaften: Ideenreich und kreativ stehen in engem Zusammenhang und wir haben uns für kreativ entschieden, weil GL nicht pausenlos eigene Ideen haben müssen, sondern sie sich auch aus guten Büchern erarbeiten oder von anderen GL übernehmen können. Kreativität bedeutet dann aber, diese Ideen umzusetzen. Und die Fähigkeit der Kreativität steckt in jedem Menschen; sie muss nur gefördert werden.

GL sollten auch offen sein. Damit könnte gemeint sein, dass GL anderen Menschen gegenüber offen sind (der Begriff kontaktfreudig schien uns zu eng gefasst).

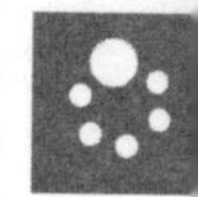

Aber nicht nur anderen Menschen gegenüber, sondern auch, wenn es um neue (Erfahrungs-)Räume, neue Methoden, aber auch gewagte Ziele in deiner Gruppe geht.
Welche Fähigkeiten sind bei dir besonders gut ausgeprägt? An welchen müsstest du noch arbeiten? Aber: Viele Eigenschaften schlummern noch in dir und warten darauf von dir entdeckt zu werden.

Wie leitest du denn deine Gruppe?! – Leitungsstile

In der Pädagogik werden drei verschiedene Leitungsstile unterschieden; damit ist das Verhalten gemeint, wie du deinen Kids gegenübertrittst und dich ihnen gegenüber verhältst:

- *autoritärer Leitungsstil*
- *demokratischer Leitungsstil*
- *laissez-faire-Stil*

Wenn du deine Gruppe **autoritär** leitest, bestimmst du die Themen und Inhalte selbst: hier die Leiter, dort die anderen. Eure Kids hätten damit keinen oder sehr wenig Einfluss auf ein gemeinsames Gruppenziel. Du hast

als GL so ein leichtes Leben, aber nicht lange, denn deine Kids werden vor dir Angst haben und irgendwann auch nicht mehr gerne zur Gruppenstunde kommen.

Der **laissez-faire**-Stil (übersetzt: „machen lassen“) ist das genaue Gegenteil und ist eigentlich gar kein Leitungsstil, denn du als GL lässt die Gruppe machen und greifst höchstens bei größeren Konflikten ein. Deine Gruppe käme ohne dich aus und leitet sich selbst. Auch hier ist eine Entwicklung deiner Gruppe kaum möglich und sie wird möglicherweise schnell auseinander gehen.

Beim **demokratischen** Leitungsstil (auch **partnerschaftlicher** Leitungsstil genannt) steht das Vertrauen und die Gemeinschaft zwischen dir und deinen Kids und zwischen den Kids untereinander im Mittelpunkt. Alle arbeiten – trotz aller Konflikte und Probleme – freundschaftlich und partnerschaftlich zusammen. Die Gruppe wird sich als Gruppe erfahren und macht eine Entwicklung durch.

In der Wirklichkeit kann man die drei einzelnen Leitungsstile nicht immer voneinander trennen und es gibt auch Stimmen, die sagen, dass es allein auf das Können und den Charakter des GL ankomme und

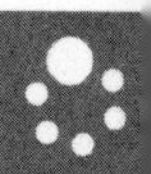

nicht auf einen bestimmten Leitungsstil. Wir empfehlen dir aber, darauf zu achten, wie du mit deinen Kids umgehst. Gerade der demokratische Leitungsstil bietet für eine kirchliche Jugendarbeit mit gemeinsamen Zielen die besten Voraussetzungen. Trotzdem wirst du erfahren, dass es manchmal wichtig ist, deinen Kids autoritär gegenüberzutreten (beispielsweise bei neuen Gruppen-Regeln oder in gefährlichen Situationen) oder laissez-faire (wenn deine Kids in der Gruppe vertrauensvoll miteinander umgehen und auch mal ihre eigenen Wege gehen sollen). Die Leitungsstile solltest du auch nicht alleine für sich stehend betrachten, sondern im Zusammenhang mit den Phasen einer Gruppe sehen (vgl. Kapitel „Entwicklung deiner Gruppe", S. 45 ff.). Denn je nachdem, wo sich deine Gruppe gerade „befindet", eignet sich der eine oder andere Leitungsstil besonders.

Tipp: Welchen Leitungsstil bevorzugst du eigentlich? Frage doch mal Freunde, wie sie dich einschätzen würden! Oder beobachte einmal allein oder in der Gruppe besondere Leitungsstile von anderen erfahrenen GL, Lehrern oder Teamern. Um einmal intensiv über die verschiedenen Leitungsstile ins Gespräch zu kommen, eignet sich die folgende Methode in Form eines Rollenspiels ganz besonders:

Wir spielen einen Leitungsstil

A: ab 14 Jahre
Z: 45 Min.
V: vorbereitete Fallbeispiele auf Karten
D: Entweder denkt ihr euch Fallbeispiele aus (typische Situationen, die ihr mit eurer Gruppe erlebt habt) oder einer bereitet ein paar auf Papier-Karten vor. Ein ganz typisches Beispiel wäre das Problem, dass die Jungs gerne draußen Fußball spielen möchten, die Mädels aber lieber drinnen eine Play-Back-Show veranstalten würden. Beides ist aber ohne die anderen langweilig. Dieses oder andere Fallbeispiele sollen in Kleingruppen als Rollenspiel nachgespielt werden. Ihr bestimmt in der Kleingruppe, wer welche Person spielt (Kids, GL, andere wichtige Personen). Wichtig ist, dass ihr versucht, alle drei Leitungsstile einmal bewusst umzusetzen und nachzuspielen. Zum Proben zieht sich jede Kleingruppe in einen anderen Raum zurück. Nach 15 Minuten treffen sich alle wieder und die verschiedenen Beispiele werden vorgespielt und anschließend in der Großgruppe besprochen. Wichtige Fragen für die Abschlussrunde sind dabei: Welchen Leitungsstil habt ihr besonders in Erinnerung? Welcher Leitungsstil scheint für die Gruppe und das Problem am besten geeignet zu sein? Wie würdet ihr die Gruppe

einschätzen? Welches Verhältnis besteht zwischen dem GL und seinen Kids? In welcher Gruppenphase befindet sich die Gruppe wohl gerade?

Teamarbeit – das A und O

Wir hören immer wieder, dass es tatsächlich einzelne GL gibt, die alleine eine Gruppe leiten. Natürlich trauen wir euch das auch zu, aber ehrlicherweise müssen wir sagen, dass du als einzelner GL oft überfordert bist. Und dann stellt sich schnell die Frage, wer dir bei Problemen und Fragen weiterhelfen kann. Eine sehr gute Alternative ist das **Leiten zu zweit**. Als Team könnt ihr euch austauschen, je nach Vorlieben und Interessen euch Aufgaben und Arbeit aufteilen, euch auf den anderen verlassen und ihr habt das Gefühl, nicht allein dazustehen. Auch für eure Kids ist es wichtig, zwei GL zu haben, denn auch in eurer Gruppe wird es Sympathien und Antipathien geben. Und wenn eins eurer Gruppenkinder sich mit dem anderen GL schwer tut, hat es wenigstens dich.

Hier einige wichtige Hinweise, die ihr beachten sollt, wenn ihr zu zweit eine Gruppe leitet und euch Gedanken macht, mit wem ihr eine Gruppe leitet. Auf kei-

nen Fall solltet ihr euch von der Pfarre oder einem Gremium einen anderen GL aufzwängen lassen. Die „Chemie" zwischen euch muss schon stimmen. Denn auf euch als Team kommt es an, ob die Zeit mit der Gruppe erfolgreich sein wird!

- Am besten sind zwei GL, ein Mädchen und ein Junge; vor allen Dingen, wenn ihr eine gemischte Gruppe habt, ist dies auch aus rechtlichen Gründen wichtig.
- Ihr müsst den anderen GL nicht sehr gut kennen. Ganz im Gegenteil: Starke Freundschaften oder gar Beziehungen sind manchmal sogar hinderlich. Wenn ihr euch sympathisch seid, aber noch nicht so gut kennt, ist das auch in Ordnung. Ihr werdet euch im Laufe der Zeit noch kennen lernen!
- Sucht euch Hilfe und Unterstützung in der Pfarre.
- Schulungen für GL solltet ihr besuchen. Ihr erhaltet dort Grundwissen und Antworten auf spezielle Fragen, die wir euch hier gar nicht beantworten können. Ihr lernt außerdem noch andere GL kennen.
  Beim Nachweis über eine GL-Schulung und einen Erste-Hilfe-Kurs könnt ihr die JuLeiCa (Jugendleitercard) beantragen. Das ist nicht nur die staatliche Wertschätzung eurer ehrenamtlichen Tätigkeit, son-

dern sie gibt euch viele Vergünstigungen (Infos gibt es bei euren städtischen Jugendämtern).

Dein Weg – Wer unterstützt dich bei deiner Arbeit?

Diese Frage ist uns sehr wichtig! Wer hilft dir bei deiner Arbeit und zu wem kannst du gerade bei Problemen und Fragen gehen?

Du musst wissen, dass deine Pfarrgemeinde dich gerne in deiner Arbeit unterstützt. Es gibt die verschiedensten Gremien und Gruppen, die dir bei deinem Weg als GL helfen und zur Seite stehen können. Da gibt es die Leiterrunde in der Pfarrgemeinde, in der alle GL vertreten sein sollten. Oder der Pfarrgemeinderat (mit seinem Arbeitskreis oder Sachausschuss zur Jugendarbeit), die katholischen und evangelischen Jugend-Verbände. Du musst selbst entscheiden, wo du dich am wohlsten fühlst und mit wem du am besten zusammenarbeiten kannst. Eins ist klar: Es ist wichtig, dass du nicht alles alleine angehst, sondern dir Unterstützung und Hilfe in diesen Gremien und Verbänden holst. Und als erfahrener GL kannst du dabei mit der Zeit auch anderen, jüngeren GL helfen.

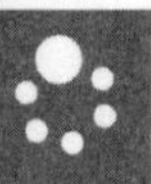

Diese Form der **Wegbegleitung** ist gerade in der kirchlichen Jugendarbeit sehr ausgeprägt. Wir beobachten hier schon lange, dass junge GL nicht durch Schulungen zu neuen und guten GL werden, sondern durch einen „Weg“, den sie innerhalb der Jugendarbeit selbst gegangen sind. Oft sind es ja frühere Gruppen-Kinder, die selbst zu GL werden. Und oft lernst du gerade von älteren GL das Wichtigste und nicht aus Büchern oder Schulungen. Dieses Prinzip nennt man das **Mentoring**. Der Begriff des **Mentors** oder **Wegbegleiters** kommt eigentlich aus der Wirtschaft, findet aber in letzter Zeit auch in der Jugendarbeit immer mehr Beachtung, denn auch dort wächst du in die Arbeit langsam hinein. Es gibt immer wichtige Menschen dabei, die dich unterstützen, über die du dir Verhaltensweisen und Wissen aneignest und die dich fördern und unterstützen. Beispielsweise ein guter Bekannter, deine ehemalige Gruppenleiterin, engagierte Erwachsene in der Pfarrgemeinde, die Gemeindereferentin oder dein Pfarrer. Sie werden als **Mentoren** bezeichnet. Auch du wirst solche Mentoren in deiner Entwicklung gehabt haben, ob bewusst oder unbewusst. Überlege einmal, wer das bei dir gewesen sein kann!

Unser Vorschlag: Such dir doch einmal einen Mentor und gehe eine sogenannte **Mentoring-Beziehung** ein.

Ihr könntet euch dann in regelmäßigen Abständen zusammensetzen und Fragen und Probleme besprechen. Du kannst nichts verlieren, sondern nur gewinnen! Vor allen Dingen könntet ihr euch von Zeit zu Zeit eine Liste mit Stichpunkten machen, die du als GL in der nächsten Zeit bedenken und durchführen möchtest. Und nach einiger Zeit trefft ihr euch wieder und geht auf die von euch gesetzten Ziele ein.

Und was gäbe es Besseres, als später einmal als „alter Hase“ junge GL zu begleiten? So funktioniert kirchliche Jugendarbeit eben auch – oder gerade besonders!

Es gäbe vieles über das **Mentoring** als neue (alte) Form der GL-Ausbildung und GL-Begleitung zu sagen. Im Literaturverzeichnis findest du Literatur zu diesem Thema. An dieser Stelle schlagen wir dir jedoch nur eine Methode vor, dich mit typischen Fragen des Mentorings allein oder in der Gruppe zu beschäftigen. Zuerst solltest du dir aber bewusst werden, wen du als Mentor bzw. Mentorin ansprechen möchtest. Ihr solltet dann in einem ersten Gespräch klären, wie oft, wann und wo ihr euch trefft. Günstig sind regelmäßige Treffen ein- bis zweimal im Monat.

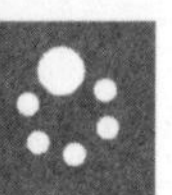

- Wie läuft es in deiner Gruppe? Wie ist die Stimmung?
- Was habt ihr bei den letzten Treffen mit deiner Gruppe gemacht?
- Wie sind deine Ideen angekommen? Worin lagen die Probleme? Warum kam es zu den Problemen? Wie könntest du es beim nächsten Mal besser machen?
- Was hat besonders gut geklappt? Welche Rückmeldung hast du von der Gruppe erhalten?
- Wo gab es Konflikte innerhalb der Gruppe oder mit dir?
- Was machst du in der nächsten Zeit mit deiner Gruppe (inhaltlich/thematisch)? Woran möchtest du bis zum nächsten Treffen arbeiten (Verhalten gegenüber deiner Gruppe, Umsetzung eines neuen Themas, Integration eines neuen, ruhigen Kindes ...)?

Diese Fragen können euch für die ersten Gespräche helfen; mit der Zeit werdet ihr eine eigene Gesprächsbasis finden. Eine gute Möglichkeit, die Arbeit zu überprüfen, wäre die Erstellung eines **Zielkataloges**. Du nimmst dir immer bis zum nächsten Treffen wichtige neue Dinge vor, die du machen oder auf die du genau achten willst. Diese Ziele solltet ihr schriftlich festhalten; so könnt ihr beim nächsten Treffen darauf zurückkommen.

Und nicht vergessen: Übung macht den Gruppenleiter-Meister!

Deine Gruppe

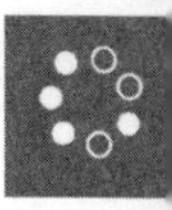

Wie setzt sich deine Gruppe zusammen?

Es ist günstig, wenn der GL sich durch einen Altersunterschied von 3–4 Jahren eine „natürliche Autorität" gegenüber den Gruppenmitgliedern verschafft. Zumindest einer der Leiter sollte diese Voraussetzung erfüllen. Du solltest dich fragen, wie deine Situation als GL ausschaut:

- Welche Bedürfnisse und Interessen hast du selber?
- Wer bist du für deine Gruppe?
- Welche Motivation hast du für deine Aufgabe?

Günstig ist eine Teilnehmerzahl von ca. 12 Mädchen und/oder Jungen. Entsprechend sollte das Leiterduo auch weiblich und männlich sein.

Das Alter sollte entweder bei 8–10 Jahren liegen, d.h. Kinder aus der Grundschule (3./4. Schuljahr, z.B. nach der Erstkommunion). Diese Altersstufe orientiert sich zum ersten Mal etwas von der Familie weg, auch wenn diese trotz allem das Wichtigste für sie ist, immer noch und immer wieder. Die Zugehörigkeit zu einer Gruppe außerhalb der Schule ist für die soziale Entwicklung ganz wichtig und es erweitert sich der in der Regel 15-Minuten-Fußweg-Erfahrungsraum (also die Welt, die die Kids in ihrem Alter „erleben").

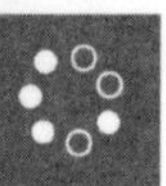

Oder ihr habt eine Teeniegruppe im Alter von 11–13 Jahren (die Zahlen sind immer als Orientierung und nicht als starre Einheit gedacht!), die schon ein größeres Interesse an einem Freundeskreis oder einer „Clique" entwickelt haben und damit auch am anderen Geschlecht. Hier gibt es zumindest oberflächlich betrachtet manchmal „kleine Erwachsene" mit starker Außenorientierung (Handy, Markenkleidung, Interesse an Soaps usw.) und dem Wunsch nach Auseinandersetzung mit Themen wie Beliebtheit, Macht, Cool-Sein usw.

Für beide Altersgruppen ist es günstig, wenn deine Gruppenkinder einen ähnlichen sozialen Bezugspunkt haben, so wie du selbst auch, also z. B. aus der „Mittelschicht" zu kommen. Es ist auch einfacher, wenn nicht zu viele Schulformen dabei sind, zu denen die Kinder gehören.

Bevor wir nun die heutigen Kids in ihrem Stadtteil genauer betrachten, schauen wir noch einmal auf dich:

Deine und meine Entwicklung – ein Rückblick

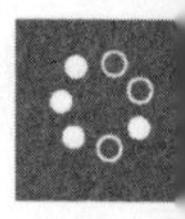

Was heißt „Kind-Sein" …? – Manches ist vielleicht ganz ähnlich wie bei dir vor ca. 8 Jahren. Deine Gruppe ist auch ein Stück Spiegelbild für dich GL, denn die Kinder kommen ja auf Grund ihrer eigenen Entscheidung zu deiner Gruppe und das hat zunächst viel mit dir zu tun.

Wir laden dich und z.B. die Leiterrunde oder deine Eltern und Großeltern zu einer Fantasiereise in die Grundschulkindzeit ein

A: 14–99 Jahre

Z: etwa 20 Min. Durchführung und 25 Min. Auswertung

V: Raum, in dem man sich auf den Boden legen kann und wo man es etwas gemütlich machen kann: abdunkeln, Kerzen und zum Entspannen ruhige Meditationsmusik, Kassettenrecorder oder CD-Player

D: Zuerst macht ihr einige Entspannungsübungen. Derjenige, der anleitet, kann auch mitmachen. *„Schließe die Augen, liege ganz bequem und konzentriere dich auf deinen Atem. Der geht ganz ruhig ein und aus … ein und aus. Konzentriere dich nur auf*

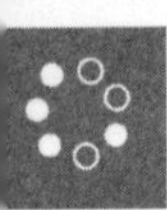

dich. Dein Körper liegt ganz schwer und ruhig auf dem Boden. Spüre einmal alle Kontaktpunkte deiner Körperrückseite mit dem Boden. Versuche alle deine Muskeln richtig zu entspannen: Du liegst ganz ruhig, entspannt und gelassen. Nun lade ich dich zu einer Fantasiereise in deine eigene Kindheit ein: Stell dir vor …"

Lies nun den folgenden Text langsam vor und mache zwischen den Sätzen viele Pausen.

„Stell dir vor, du bist wieder ein Kind, 9 Jahre alt. Du gehst in die Grundschule, 3. Klasse. –
Stell dir vor, wie du morgens geweckt wirst, wie du dich in deinem Zimmer umschaust, dich anziehst, aufstehst. – Dann packst du deinen Schulranzen und ab geht's zur Schule. – Die Glocke schellt, die Lehrerin oder der Lehrer betritt das Klassenzimmer, der Unterricht beginnt. – Lass den Unterricht an deinem inneren Auge vorüberziehen. – Dann die letzte Schulstunde, die Glocke schellt. Du verlässt das Klassenzimmer. – Stell dir nun vor, wohin du gehst, was du machst. Es ist Nachmittag. Wie verbringst du ihn? Mit wem bist du zusammen? Was spielst du? Und wo? Was machst du gerne? – Langsam wird es Abend. Es wird dunkel. Abendessenszeit. Lass den Abend vor deinem inneren Auge vorübergehen: Wie gestaltest du ihn, was erlebst du, bevor du schlafen gehst? Wer ist alles dabei? –

Jetzt sind wir am Ende unserer ‚Reise in die Kindheit' angelangt. Wir kommen wieder in die Gegenwart, in unseren Raum, bewegen Beine und Arme ein wenig und öffnen langsam die Augen. Den ganzen Körper strecken …"

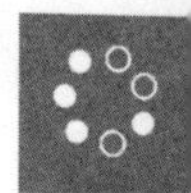

Jetzt sind wir am Ende. Anschließend wäre es nun schön, über eure Erinnerungen ins Gespräch zu kommen, vielleicht ein Plakat zu erstellen mit dem Thema „Kind-Sein" und Fotos aus eurer Kindheit, evtl. mehrere Generationen (Eltern, Großeltern) dazuzukleben. Vielleicht könnt ihr in eurem Kreis auch noch etwas weiter nachdenken, z.B. darüber, wo ihr als Kinder ernst genommen wurdet und euren Alltag mitgestalten konntet. Und ab wann ihr mehr Verantwortung übernehmen durftet und auch was für euch nicht so gut, schwierig, traurig oder konfliktträchtig in der Kindheit war.

Auf dieser Basis kannst du nun als GL ganz sensibilisiert für deine Gruppenmitglieder beginnen, das Leben und den Sozialraum, da wo ihr seid, zu erkunden, zu bewerten und hoffentlich mitzugestalten.

Wie leben deine Gruppenkinder?

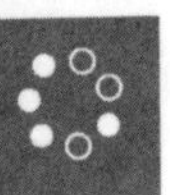

Um angemessen auf deine Gruppenkinder eingehen zu können, solltest du in Erfahrung bringen, wie die Situation in ihrer Familie aussieht:

- Alter und Geschlecht
- Wo wohnt das Kind?
- Wie viele Geschwister hat es?
- Hat es noch seine „ursprünglichen Eltern“ zu Hause?
- Welchen Beruf üben diese aus?
- Wo geht es zur Schule?
- Welchen Hobbys geht es sonst noch nach?
- Welche Freunde hat es?

Weiter ist es für dich wichtig, mit der Zeit zu erkennen:

- Welchen Charakter hat das Kind?
- Welche Fähigkeiten besitzt es schon?
- Welche Bedürfnisse hat es?
- Kann es sich schon gut in eine Gruppe einfügen?

Du als jugendlicher GL bist vielleicht selbst noch mit mancher dieser Fragen beschäftigt. Daher möchten wir dir empfehlen, immer mal wieder über diese Fragen nachzudenken. Gerade das Erlebnis und die Erfahrung in deiner Gruppe kann ein Stück zu einer stärkeren Entwicklung eines Kindes beitragen: Während deiner Gruppenstunde läuft kein Fernseher, Computer oder Handy … – es wird nicht nur irgendetwas konsumiert. Du gibst deine Zeit für die Kinder, du interessierst dich für sie. So können sie aktiv Kontaktfähigkeit, Freundlichkeit und Kooperation lernen. Die Kinder in deiner Gruppe erleben Regelmäßigkeit, Freude, Gemeinschaft und sind bei dir in guter Beaufsichtigung. Das alles ist heute längst nicht mehr selbstverständlich. Das wirst du auch sicherlich selbst feststellen, je nachdem, wo deine Kids herkommen und was sie schon erfahren und erlebt haben.

Wir malen eine Fahne für unser Zuhause

A: 8–10 Jahre

Z: ca. 1 Std.

V: Material besorgen, evtl. Kinder vorher bitten, Fotos von sich und ihrer Familie mitzubringen, Betttücher, Schere, Klebstoff, Stifte

D: Nach einem Warming Up, d. h. „Aufwärmspiel“ zum Kennenlernen, z. B. ZippZapp-Namenspiel, diese Einzelkreativarbeit anbieten: Aus den mitgebrachten Materialien malt oder bastelt jedes Kind eine Fahne, die das eigene Zuhause symbolisieren soll. Anschließend können die Fahnen in der Gruppe vorgestellt und der Gruppenraum damit geschmückt werden.

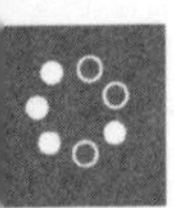

Und noch eine weitere Methode:

Auseinandersetzung mit Alltagsbedürfnissen, Marktorientierung usw.

A: 10–13 Jahre
Z: ca. 1,5 Std.
V: Raum, Pfarrheim, Material: Zeitschriften (Bravo, Girl usw.), Pappen, Klebstoff, Stifte
D: In Kleingruppen erstellen die Kinder Collagen zu einem selbst gewählten Thema aus ihrem Alltag.

Durch solche Collagen und Darstellungen kannst du dir ein besseres Bild davon machen, was deine Kids beschäftigt, wie sie sich selbst und ihr Umfeld sehen. Trotz aller Kenntnisse und Hintergrundinformationen über deine Gruppenkinder empfehlen wir dir, vor allem Gelassenheit und Offenheit zu üben. Nimm jedes einzelne Kind erst einmal so an, wie es ist; ein durch und durch christlicher Ansatz übrigens. In diesem Vertrauen verhält es sich vielleicht ganz anders als erwartet. Bei permanent auffälligem Verhalten solltest du dir allerdings Hilfe suchen.

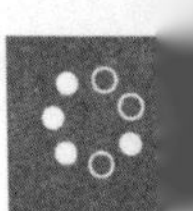

Erwartungen von Kindern, Eltern, Pfarrgemeinde

In diesem Kapitel geht es nun einerseits darum, die anderen in ihrem Umfeld zu sehen und damit auch Konflikte wahrzunehmen, die sich u.U. daraus ergeben. Andererseits geht es darum, deine Fähigkeiten, Stärken und ebenso Grenzen als GL zu erkennen, um für dich Klarheit zu haben. Du machst ehrenamtlich ganz wertvolle Arbeit, kannst aber z.B. nicht ausgleichen, was Kinder in ihrer Familie nicht erfahren haben.

Sozialraum mit Medien erkunden: Wo ist es schön? Wo bin ich gerne? Wo nicht? (ungewöhnliche Spielorte, z.B. Verweis „Treppenspiel“)

A: 8–13 Jahre
Z: ca. 3-mal je 1,5 Std. (Vorbereitung, Durchführung, Auswertung)
V: Mit Fotoapparaten oder einer Digitalkamera den Stadtteil erkunden: Wo halte ich mich gerne auf? Was ist hässlich? Wo sind Kinder unerwünscht?

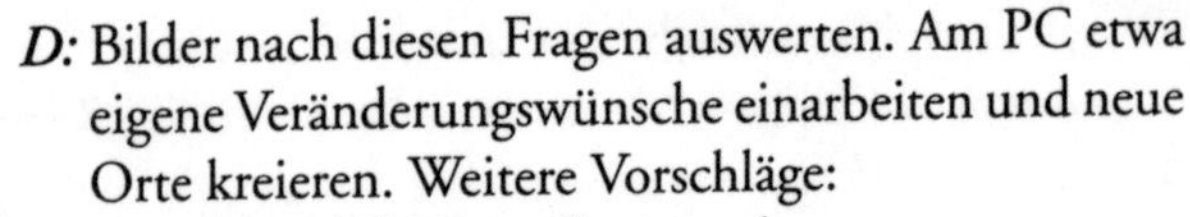

D: Bilder nach diesen Fragen auswerten. Am PC etwa eigene Veränderungswünsche einarbeiten und neue Orte kreieren. Weitere Vorschläge:

a) einen Stadtplan selbst gestalten
b) andere Kinder im Stadtteil befragen:
Wie geht es dir hier?
Was fehlt dir?
Was würdest du ändern?
Sind die Menschen freundlich?
c) „Apfel-und-Ei-Rallye“: Die Kinder gehen in Kleingruppen, am besten zu dritt, los. Jede Gruppe bekommt einen Apfel und ein Ei, einen Zettel und einen Stift. Nun müssen sie versuchen, die Gegenstände einzutauschen gegen etwas anderes. Wenn ihnen jemand etwas gibt, schreiben sie den neuen Gegenstand auf den Zettel und lassen den „Spender“ unterschreiben. Dann gehen sie weiter und versuchen, den neuen Gegenstand weiter zu tauschen. Die Gruppe, die in der vorgegebenen Zeit die meisten Gegenstände getauscht hat (und entsprechende Unterschriften dies auf der Liste belegen), hat gewonnen.

Am Anfang deiner Gruppenarbeit wäre es sicherlich gut, einen Elternabend zu veranstalten. Lasst euch dabei von einigen Mitgliedern des Sachausschusses Jugend des Pfarrgemeinderates unterstützen. Per Wandzeitungen könnt ihr dann Erwartungen, Fragen und Ängste notieren lassen. Vielleicht erlebst du wenig homogene Kinder und Eltern, z. B. aus verschiedenen Nationen, Religionen, Schichtzugehörigkeiten. Das ist in städtischen Gebieten sogar wahrscheinlich. Auch während des weiteren Gruppenprozesses bieten sich Elterngespräche an, wenn es etwa mit einzelnen Kindern Schwierigkeiten gibt, vor allem dann, wenn sie in der Person des Kindes begründet sein sollten (Hyperaktivität, Aggressivität usw.). Konflikte in der Gruppe solltet ihr erst einmal selbst zu regeln versuchen. Laut Briefen, die Kinder an den Aachener Bischof geschrieben haben (siehe Literaturverzeichnis) wünschen sich die meisten Kinder weniger Streit und Auseinandersetzung und bunte, „warme“ und fröhliche wöchentliche Gruppenstunden im Jugendraum des Pfarrheims. Und die Erwartungen der an der Gruppe Beteiligten sind die ausschlaggebenden, dann wird's auch gut laufen.

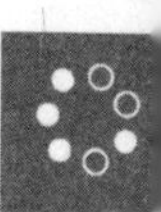

Wenn ihr im Laufe eures gemeinsamen Gruppenjahres einzelne Aktionen plant und in der „Öffentlichkeit“ durchführt (wie z. B. eine Aufführung oder einen Stand beim Pfarrfest, besondere Beteiligung an einem Kindergottesdienst, Ferienspiele zu einem bestimmten

Motto usw.), könnt ihr die Bedürfnisse der Erwachsenen nach „Was läuft denn so in eurer Gruppe?“ gut befriedigen und die Eltern sind beruhigt, dass ihre Kinder in deiner Gruppe gut aufgehoben sind. Wenn ihr also Regeln, die von außen gesetzt sind, wie Jugendschutz, beachtet und eure eigenen Gruppenregeln mit allen zusammen gestaltet, sind auch die Erwartungen von außen zum allergrößten Teil erfüllt.

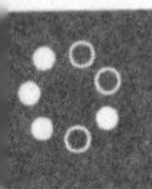

Beim örtlichen Jugendamt kannst du die wichtigsten Regeln aus dem **Jugendschutzgesetz** schriftlich erhalten, und vielleicht hängst du sie auch in eurem Gruppenraum auf. Darüber hinaus gibt es gute Ratgeber für GL, die wir in der Literaturliste erwähnt haben, die sich nur mit diesem Thema beschäftigen. Auf jeden Fall solltet ihr euch in der gesamten Gruppenleiterrunde intensiv über eure Rechte und Pflichten austauschen. Außerdem empfehlen wir, den Erste-Hilfe-Kurs ernst zu nehmen.

An dieser Stelle möchten wir das Wichtigste für euren Gruppenalltag beschreiben, denn während der Zeit eurer Gruppenstunde tragen die GL die Verantwortung für alle Gruppenmitglieder und das Gruppengeschehen. Deshalb sollten eure Programme und Räume immer angemessen für das Alter und die Reife eurer Kids gestaltet sein.

Rechte und Pflichten

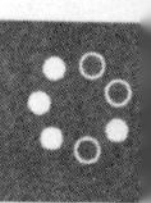

Als GL bekommst du von den Eltern deiner Gruppenkinder die **Aufsichtspflicht** übertragen, im Einverständnis mit der Pfarrgemeinde, über die du auch für deine Arbeit versichert bist (vorher informieren!). Aufsichtspflicht bedeutet, dass du darauf achten musst, dass deine Kids nicht geschädigt werden oder in gefährliche Situationen geraten, und dass du sie daran hinderst, anderen Schaden zuzufügen. Von daher solltest du gerade in der Anfangsphase deiner Gruppenarbeit sehr vorsichtig sein, da du die Kinder erst einschätzen lernen musst, wie sie etwa mit deinen Ideen und deinen Anweisungen umgehen. Um deiner Aufsichtspflicht zu genügen, solltest du zu eurer Sicherheit bestimmte Regeln aufstellen und also klären, was in eurer Gruppe erlaubt und verboten ist. Es gibt Regeln, die du als GL definitiv setzt, und andere, die du immer wieder mit deiner Gruppe zusammen aufstellst oder gegebenenfalls veränderst. Deine Aufgabe ist es dann, das Einhalten eurer Regeln zu kontrollieren und bei Verstößen entsprechend einzugreifen. Von daher ist es sehr günstig, wenn ihr zu zweit leitet, damit ihr alle Kinder gut im Blick haben könnt, um dann eventuell mit einem Einzelnen mahnend ins Gespräch zu gehen. Voraussetzung ist dafür, dass ihr zwei GL euch vor eurer Leitungsaufgabe auf klare Grenzen einigt, die mit bestimmten Maßnahmen bei Überschreitung geahndet werden. Also wenn sich zwei Kinder handgreiflich streiten, müsst ihr eingreifen und klären und eventuell neue Verbote aussprechen.

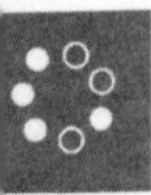

Manchmal ist es auch sinnvoll (siehe „Konflikte", S. 46 ff.), dass nur derjenige von euch mit den zwei Streitenden verhandelt, der einen besseren „Draht" zu ihnen hat, während der andere mit dem Rest der Gruppe beschäftigt ist. Wichtig ist es uns, noch zu erwähnen, dass euch das Thema „Rechte und Pflichten" nicht abschrecken sollte und dass eine Schulung mit vielen Fallbeispielen und Rollenspielen zu diesem Thema sehr spannend sein kann.

Wenn du als GL verantwortlich und nicht fahrlässig, d.h. leichtsinnig mit deiner Aufgabe umgehst, dann kannst du nicht so viel falsch machen. Denn Probleme oder auch Unfälle können und werden auftauchen und du kannst, gut informiert, nach deinem menschlichen Ermessen damit umgehen, dann kann man dir nichts nachsagen. Und du kannst stolz darauf sein, dass diese Leitungsaufgabe **dir** zugetraut wird.

Entwicklung deiner Gruppe

Gruppenphasen

Es gibt fünf Phasen, die du mit deiner Gruppe immer wieder durchleben wirst:

1. **Kennenlernphase**
   (vgl. Beispiele und Methoden S. 57 ff.)
2. **Auseinandersetzungsphase**
   (vgl. Beispiele und Methoden dieses Kapitels)
3. **Vertrautheitsphase**
   (vgl. Beispiele und Methoden dieses Kapitels)
4. **Differenzierungsphase**
   (vgl. Beispiele und Methoden S. 89 ff.)
5. **Abschiedsphase**
   (vgl. Beispiele und Methoden S. 89 ff.)

Die einzelnen Phasen können ein paar Wochen oder auch manchmal Monate andauern. Nicht nur du als GL, sondern auch deine Kinder entwickeln sich weiter, es wird Auf- und Abwärtsprozesse geben, je nachdem wie viele Charaktere zusammenkommen. Du kannst als GL bei diesen Prozessen Einzelne in deiner Gruppe fördern, wenn sie irgendwelche Probleme haben, und du kannst immer wieder etwas für die Gemeinschaft in deiner Gruppe tun.

Konflikte

Zu jeder Zeit deiner Gruppenarbeit kann es zu verschiedenen Arten von Konflikten kommen. Am stärksten treten sie in der **Auseinandersetzungsphase** auf, die nach der ersten **Kennenlernphase** deiner Gruppe folgt. Zu der Anfangszeit findest du im Abschnitt „Feinplanung" (S. 61 ff.) eine ausgearbeitete Gruppenstunde vor und im Anschluss an unsere kleine theoretische Einführung bekommst du gleich eine für diese zweite Phase, weiterhin auch noch eine zur dritten, der **Vertrautheitsphase**, in der Konflikte gelöster sind. Das Phasenmodell heißt jedoch nicht, dass, wenn du mit deiner Gruppe eine Phase wiedererkennst, stets zwangsläufig die nächste immer in gleichen Zeitabständen folgt. Vielmehr gleicht der Gruppenprozess eher einer Spirale, die sich mal hinauf und mal hinab windet. Wichtig ist für dich als GL, die fünf Phasen zu kennen, in eurem Gruppenprozess wiederzuerkennen und zu reflektieren, um dann ein geeignetes Programm zu gestalten. Es sei an dieser Stelle noch erwähnt, dass wir die Projektarbeit als eine ganz wichtige Methode für die vierte, die **Differenzierungsphase** halten, ebenso wie religiöse Gruppenstunden, die aber auch gut in die Vertrautheitsphase passen. Die Differenzierungsphase erkennst du daran, dass jedes Gruppenmitglied mit seinen Stärken und Schwächen akzeptiert wird und sich somit differenziert und ganzheitlich einbringen kann.

Doch zurück zu den Konflikten, die immer eine wichtige Lernchance bieten. Zunächst einmal gibt es verschiedene Arten von Konflikten, mit unterschiedlichen Ursachen und Bedingungen, und es gibt verschiedene Lösungsmöglichkeiten bzw. Strategien mit ihnen umzugehen. Vielleicht hilft dir folgendes Schaubild, um die Art des Konfliktes oder auch Mischungen zu bestimmen. Da Auseinandersetzungen eher spontan entstehen, wenn es z. B. um verschiedene Interessen in der Gruppenstunde geht, kannst du lernen, auch spontan damit umzugehen, denn Störungen haben Vorrang vor dem Programm.
Vielleicht überlegst du selbst einmal, welche Arten von Konflikten du im Alltag erlebst und zu welcher Sorte du sie zuordnen würdest. Wie löst du deine Konflikte denn eigentlich?

In der geschützten Situation einer Gruppe kannst du

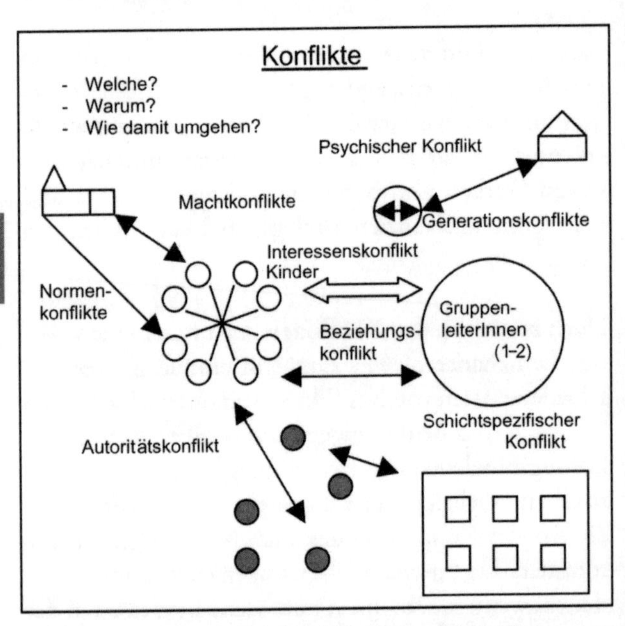

ruhig gemeinsam mit den Kindern üben, Fragen zu stellen und Zusammenhänge zu klären. Ein Beispiel für einen **Interessenskonflikt** wäre, wenn ein Teil deiner Gruppe toben und draußen spielen möchte, die anderen aber lieber etwas Schönes basteln wollen. Wie könnt ihr gemeinsam eine demokratische Lösung finden?

Ein **Beziehungskonflikt** liegt z. B. vor, wenn sich einige Kinder um die neuen Blusterstifte streiten oder einer zum Außenseiter wird, weil er nicht so beliebt ist. Es könnte aber auch um kirchliche Normen gehen, wenn du als Gruppenleiter von dem Vorsitzenden des Pfarrgemeinderates kritisiert wirst, weil auf den Fenstern eures Gruppenraumes Hanfblätter zwischen vielen Blumen gemalt sind (**Normenkonflikt**).

Ein weiterer Konflikt, der von außen mitgebracht sein kann, ist der Streit zwischen zwei Familien wegen unterschiedlicher Erziehungsstile, sodass etwa einer gelernt hat, sich direkt zu wehren, wenn ihm etwas nicht gefällt, und der andere, immer brav zu gehorchen (**Generationskonflikt**).

Doch könnte es natürlich auch sein, dass du als GL im Konflikt beteiligt bist, wenn du etwa zu sehr deine Autorität spielen lässt und die Kinder gegenüber deinen Bedürfnissen ihre Interessen nicht durchsetzen können, weil dir die Vorschläge der Kinder nicht gefallen (**Autoritätskonflikt**). Oder andersrum möchtest du der erfolgreichste und beliebteste GL in eurer Gemeinde sein. Es kann natürlich auch mehrere Ursachen für einen Konflikt geben. Ein Vorschlag: Schreibe oder zeichne den Konflikt doch einfach mal auf ein Blatt Papier. Manches wird dann klarer und du kannst mit anderen darüber sprechen.

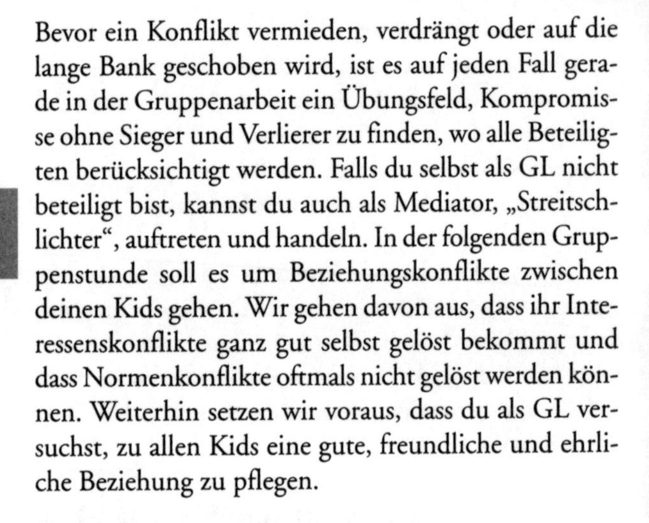

Bevor ein Konflikt vermieden, verdrängt oder auf die lange Bank geschoben wird, ist es auf jeden Fall gerade in der Gruppenarbeit ein Übungsfeld, Kompromisse ohne Sieger und Verlierer zu finden, wo alle Beteiligten berücksichtigt werden. Falls du selbst als GL nicht beteiligt bist, kannst du auch als Mediator, „Streitschlichter", auftreten und handeln. In der folgenden Gruppenstunde soll es um Beziehungskonflikte zwischen deinen Kids gehen. Wir gehen davon aus, dass ihr Interessenskonflikte ganz gut selbst gelöst bekommt und dass Normenkonflikte oftmals nicht gelöst werden können. Weiterhin setzen wir voraus, dass du als GL versuchst, zu allen Kids eine gute, freundliche und ehrliche Beziehung zu pflegen.

Zwei Gruppenstundenmodelle

Konfliktlösung kreativ

A: eher 11–13 Jahre, vereinfacht auch mit jüngeren Kindern möglich

Z: ca. 1,5 Std.

V: ungestörter Gruppenraum mit Bewegungsfreiheit, Musikanlage, verschiedene Musiken (fetzig und ruhig), Getränke, Gläser, Schreib- und Malutensilien

D: 1. Zur Begrüßung hast du für deine Kids einen

Fruchtcocktail als Überraschung zubereitet. In der letzten Gruppenstunde hast du alle besonders eingeladen und darauf hingewiesen, dass unbedingt alle erscheinen sollen, du hättest etwas für die „knistrige“ Gruppenatmosphäre vorbereitet (5 Min.).

2. Nun räumt ihr alle Sitzgelegenheiten zur Seite und zu einer fetzigen Musik gehen alle durch den Raum.
Bei Musikstopp wird ein Gefühl benannt, dass alle in Körperausdruck (Mimik und Gestik) darstellen. Dann kannst du Einzelne herausheben, sodass die anderen diejenigen anschauen können.
3. Ein Freiwilliger verlässt den Raum; die Gruppe zeigt in einem Standbild die momentane Gruppenstimmung, die erraten werden soll. Mehrere Durchgänge sind sinnvoll mit anschließendem Gespräch darüber, was aufgefallen ist (im Hintergrund kann ruhige Musik laufen) (15 Min.).
4. Nun wird's spannend: Jetzt bittest du deine Gruppenkinder sich so in einem abgegrenzten Raum hinzustellen (Seile oder Kreide markieren einen Kreis), wie sie im Moment zueinander, nebeneinander usw. stehen. Auch dabei kann Körperhaltung, Gestik und Mimik eine Rolle spielen. Die Kinder sollen möglichst ohne Worte und mit genug Zeit das aktuelle Standbild erarbeiten.

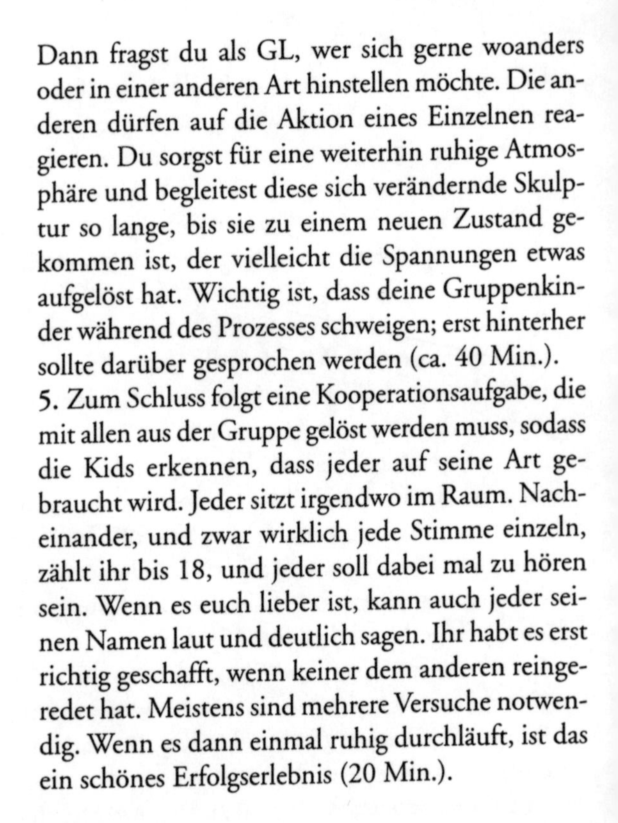

Dann fragst du als GL, wer sich gerne woanders oder in einer anderen Art hinstellen möchte. Die anderen dürfen auf die Aktion eines Einzelnen reagieren. Du sorgst für eine weiterhin ruhige Atmosphäre und begleitest diese sich verändernde Skulptur so lange, bis sie zu einem neuen Zustand gekommen ist, der vielleicht die Spannungen etwas aufgelöst hat. Wichtig ist, dass deine Gruppenkinder während des Prozesses schweigen; erst hinterher sollte darüber gesprochen werden (ca. 40 Min.).

5. Zum Schluss folgt eine Kooperationsaufgabe, die mit allen aus der Gruppe gelöst werden muss, sodass die Kids erkennen, dass jeder auf seine Art gebraucht wird. Jeder sitzt irgendwo im Raum. Nacheinander, und zwar wirklich jede Stimme einzeln, zählt ihr bis 18, und jeder soll dabei mal zu hören sein. Wenn es euch lieber ist, kann auch jeder seinen Namen laut und deutlich sagen. Ihr habt es erst richtig geschafft, wenn keiner dem anderen reingeredet hat. Meistens sind mehrere Versuche notwendig. Wenn es dann einmal ruhig durchläuft, ist das ein schönes Erfolgserlebnis (20 Min.).

Und jetzt eine ausgearbeitete Gruppenstunde zur Vertrautheitsphase:

Stärkung des Selbstwertgefühls des Einzelnen und des Vertrauens innerhalb der Gemeinschaft

A: 11–13 Jahre, bei 8–10 Jahre weniger Inhalte
Z: ca. 1,5 Std.
V: ungestörter Gruppenraum mit Bewegungsfreiheit, ruhige Musik, Decken, Kerzen, Möglichkeit zum Verdunkeln, Teppichfliesen

D: **1.** Zum Einstieg gibt es noch einmal eine Kooperationsübung. Mit der Hälfte der Anzahl der Teppichfliesen wie Gruppenkinder soll der Gruppenraum einmal durchquert werden; dabei sind die Teppichfliesen so etwas wie Flöße, die über den reißenden Fluss tragen (10 Min.).
2. Jetzt sucht sich jeder im Raum einen Platz. Alle schauen sich genau um. Dann werden die Augen geschlossen. Du als GL achtest auf die Sicherheit. Die Kinder haben nun die Aufgabe, blind einen Kreis mit Handfassen zu bilden.
3. a) In Dreiergruppen wird zunächst die einfache Form des Pendels geübt: Einer steht in der Mitte und macht sich ganz steif, wie ein Brett; hinter und vor ihm stehen die zwei anderen, zunächst ganz nah, sodass sich der in der Mitte fallen lassen kann. Mit der Zeit kann das Pendel immer mehr ausschlagen. Wichtig ist dabei, dass die Füße fest am Boden bleiben. Die anderen beiden sollten in Schrittstellung

stehen, dann können sie mehr Gewicht auffangen; die Hände sind immer offen vor dem Körper und gehen immer mit dem Pendel mit (10 Min.).

3. b) Jetzt steht die gesamte Gruppe im Kreis und ein Freiwilliger in der Mitte (max. 10 Personen), der nun das Pendel bildet. Die Augen von demjenigen sind verschlossen und er kann die Arme vor der Brust kreuzen. Alle im Kreis stehen sicher und sind ganz behutsam und wachsam mit dem Mutigen in der Mitte. Der kann nun in jede Richtung gependelt werden, erst mit nahem Abstand, dann auch etwas weiter. Auf jeden Fall darf das Pendel nie stürzen, denn dann ist das Vertrauen gebrochen. Jeder darf diese Vertrauensübung ausprobieren und kann spüren, wie schön das ist. Es stärkt die Gemeinschaft unter euch (20 Min.).

4. Zum Schluss schlagen wir euch eine intensive Partnerübung vor, für die ihr die Decken oder Matten braucht und für die eine schöne Atmosphäre mit Kerzen und Entspannungsmusik sinnvoll wäre.

Jedes Paar (immer zwei, die sich vertrauen) geht auf eine Decke, der eine sitzt im Schneidersitz und der andere legt sich vor ihn auf den Rücken, sodass er seinen Kopf vor den Beinen des anderen ablegt; und schließt nun die Augen.

Der Sitzende ist ganz ruhig und betrachtet zunächst

den ihm Anvertrauten. Du als GL begleitest die Übung mit ruhiger, leiser Stimme. Wenn alle Paare bereit sind, gibst du folgende Anweisung: Der Sitzende nimmt ganz vorsichtig den Kopf des Liegenden in seine Hände und lässt demjenigen Zeit, das ganze Gewicht des Kopfes wirklich in die Hände abzugeben. Dann sagst du als GL mehrmals den Satz: „Du bist in meinen Händen." Beide Partner spüren der Bedeutung des Satzes nach, in den beiden Rollen „Fallenlassen – Geborgenheit" und „Festhalten – Verantwortung". Nach etwa fünf Minuten wird in aller Ruhe gewechselt.

Anschließend könnt ihr in einem gemütlichen Sitzkreis am Boden die „Vertrautheits-Gruppenstunde" ausklingen lassen. In einem Abschluss-Blitzlicht sagt jeder Einzelne kurz und ohne Kommentierung durch die anderen, wie ihm die Übungen gefallen haben und welche Erfahrungen jeder mitnimmt (30 Min.).

Vorbereitung von Gruppenstunden

Voraussetzungen

Als GL solltest du für dich einen groben Leitfaden entwickeln, um dein Konzept nicht aus den Augen zu verlieren. Dabei ist es wichtig, deinen Plan nicht „blind" durchzuführen, sondern auch durch die Rückfragen an deine Zielgruppe, durch Feedback und Abschlussrunden den Stand/Prozess der Gruppe immer im Blick zu behalten.

Wir sind der Meinung, dass innerhalb der Gruppe klare Regeln und Grenzen herrschen sollten. Die Aufgabe des GL ist es darauf zu achten, dass diese Regeln nicht überschritten werden. Es ist von Vorteil, wenn du am Anfang einer Aufgabe weißt, ob du die Aktivität anleitest oder selber daran teilnimmst. Dies hilft dir, dich besser auf deine Rolle zu konzentrieren und einzustellen, denn als „Anleiter" behältst du eher den Überblick, während du als „Mitspieler" mehr Motivator und Antreiber sein kannst. Der GL sollte immer einen „Reservekoffer" dabei haben. Damit sind nicht nur die kreativen Materialien gemeint, sondern auch immer wieder neue Ideen, Anregungen. Denn nur so kann ich meine Gruppe spontan und flexibel begleiten und auf die Wünsche und Bedürfnisse der Mitglieder eingehen.

Ein sehr wichtiger Aspekt ist es auch, dass ich meine Gruppe begleite und sie sich selbst entwickeln lasse, statt ihr mit festen Vorstellungen zu begegnen. Ein GL muss die Kunst der Balance beherrschen, und zwar der Balance zwischen dem Begleiten der kreativen Prozesse und dem Miterleben innerhalb der Gruppe. Neben diesen pädagogischen Voraussetzungen empfehlen wir folgende organisatorische Voraussetzungen:

- wöchentlich 1,5 Stunden für die Gruppenstunde
- angemessene Gruppengröße
- angemessenes Alter der Gruppenmitglieder
- eigener Gruppenraum für Kinder und Jugendliche

Grobplanung

- Orientierung
- Spirituelles und Kreatives (Rituale)
- Mitbestimmung der Kids (sie wollen ja wie du ernst genommen werden)

- Räume gestalten
- Halbjahresprogramm
- Mit uns durch's Jahr
- Jahreszeiten
- Feste feiern (Geburtstage usw.)
- Ferienzeiten
- Kirchliche Feiertage
- Besondere thematische Projekte
- Highlights, z. B. Ausflüge

Eine Halbjahres- oder Jahresplanung gibt dir als GL eine Orientierung, deine Zeit mit der Gruppe gut, stressfrei und kreativ zu gestalten. Du musst dir dann nicht mehr im Einzelnen für neue Ideen den „Kopf zerbrechen". Zunächst solltest du für dich einen Plan zeichnen, vielleicht einen Kalender von dem Monat aus, in dem du startest, bis zum nächsten größeren „natürlichen" Einschnitt, z. B. den Schulferien. In einer Art „Wandzeitung" kannst du zu jedem Monat jahreszeiten- und feiertagsgemäß erste Stichworte sammeln. Schön wäre es auch Geburtstage aller Beteiligten einzutragen, weiterhin besondere Feste in der Gemeinde oder im Stadtteil.

Weitere Ideen für diesen „Monatsplan" solltest du dann gemeinsam mit der Gruppe sammeln, Vorschläge der

Kinder anhören, auch wenn sie zunächst utopisch erscheinen, „einarbeiten“ und mit in den Plan einbeziehen. Dabei schaffen Feste, Feiern und Ausflüge oder Fahrten besondere Höhepunkte im Gruppenalltag, sie tragen zu einem gewissen Rhythmus und einem geordneten Rahmen bei, der für Kinder und auch für Teens sehr wichtig ist. Dabei ist ein Fest eher etwas Fröhliches (Karnevalskinderdisco), eine Feier (z. B. im Advent) kann eher etwas Getrageneres und Kulturelleres an sich haben. Dieser Grobplan für eure Gruppe, etwa die „Wandzeitung“, sollte von allen mitgestaltet werden, z. B. durch verschiedene Schriften, Bilder, Fotos usw. und euren Gruppenraum schmücken. Oder ihr bemalt gemeinsam die Fenster, für jeden Monat eine typische Idee, wie etwa für den Januar „Dreikönigssingen“ und „Schneeballschlacht“, für den Februar „Karneval-Maskenreigen“, für März „Osterhasenjagd“, vielleicht im Mai „Maibäume“ oder „Walpurgisnacht“ (Hexentanz), im Juni erste „Sommerträume“ oder etwas zu „Pfingsten“, je nachdem wie ihr auch Religiöses (siehe Kapitel zu den religiösen Einheiten, S. 109 ff.) einbeziehen wollt. Juli und August sind typische Urlaubsmonate, hier eignet sich alles „rund ums Meer ...“. Im September könnte man „Drachen steigen lassen“ und im Oktober „Heuballen und Bäume erklettern“. Ihr merkt schon, dass in den Bildern genauso Ideen für Bastelar-

beiten oder Ausflüge stecken, die ihr selber sehr gut ausschmücken könnt. Für den November finden wir „Halloween“ oder auch „Regenbilder“ sehr schön und im Dezember bietet der Advent mit „Bratäpfeln, Kerzen und Tannenzweigen“ zahlreiche Ideen.

Jetzt geht es mit der konkreten Planung einer einzelnen Gruppenstunde exemplarisch weiter.

Feinplanung

- sinnvolle Einheiten
- Was mache ich in der nächsten Stunde?
- Wie lange dauert etwas?
- Beachte die Gruppenphasen!
- Flexibilität (Wer ist da mit welcher Laune? Welche Räume und Medien habe ich zur Verfügung? Wie ist das Wetter? Was mache ich, wenn es nicht so läuft wie geplant?)
- Keine Panik, auch Fehler sind o.k.!
- Die Kids sind mitverantwortlich!
- Alternativprogramm
- Spontaneität
- Eigenverantwortung; Leiten zu zweit, zu dritt?

Wir wollen dir an einer durchstrukturierten Gruppenstunde zeigen, wie du deine Arbeit gut vorbereiten kannst. Die ganz genaue Umsetzung wird dann in Wirklichkeit sicher etwas anders ablaufen …

Es geht um die Anfangszeit einer neuen Gruppe innerhalb der **Kennenlernphase**:

Die Gruppenkinder sollen sich besser kennen lernen, eine erste Gemeinschaft soll entstehen

A: sowohl 8–10 Jahre als auch 11–13 Jahre
Z: 1,5 St.
V: Stühle im Gruppenraum in einen Sitzkreis stellen, im Hintergrund aktuelle Musik, Luftballons (mehr als Teilnehmer), kleiner Ball oder Stofftier, Stoppuhr, weitere Bälle oder „Wurfobjekte“
D: 1. **„Ankommen**” (ca. 15 Min.)
Ankommen, Begrüßen, lockerer, noch ruhiger Einstieg.
Begrüßungsritual mit Ball oder Stofftier als „Wurfobjekt“: jede(r) bekommt einmal den Ball in die Hand und sagt kurz wie's ihm geht, wie der Tag bisher war und was es für Wünsche gibt (die du als GL in die aktuelle oder nächste Stunde aufnimmst…)

2. **Namenspiele** (ca. 15 Min.) (siehe „Spieleblatt“, S. 65 ff.):
   a) Name – Händedruck – Kreis auf Zeit
   b) ZippZapp
   c) Gruppenjonglage
   d) mein Name – meine Visitenkarte

3. **... ein Action-Spiel** (ca. 15 Min.)
   „Reise nach Gruppenhauf“, um die Gemeinschaft zu stärken: zur Musik bewegen, bei Musikstopp müssen alle auf die Stühle, die jedes Mal einer weniger werden, am Ende sollten alle auf etwa zwei Stühlen sein.
   Austausch über einander ... in die Rolle eines anderen schlüpfen.

4. **... gemeinsam sind wir stark** (ca. 25 Min.)
   Der GL hält halb so viele Fäden in der Hand wie Gruppenkinder da sind. Die Fäden sind ungefähr 1m lang. Nun greift jedes Kind das Ende eines beliebigen Fadens. Lässt der GL die Fäden los, bilden sich dadurch Pärchen, dass jeweils zwei Kinder den gleichen Faden festhalten. Jedes Pärchen zieht sich jetzt zurück und unterhält sich übereinander: Was machst du gerne? Was ist schön in deinem Leben? Was ist eventuell schwierig? Für wen schwärmst du?

Was willst du später werden? usw. In der Großgruppe stellen sich die Partner dann einander vor. Dabei baut jeder unauffällig eine „Lüge“ ein, die die anderen entdecken müssen. So können sich alle in der Gruppe besser kennen lernen. Das Zuhören und Einschätzen des anderen wird gefördert.

5. **… mit Luftballons** (ca. 10 Min.)
   Anschließend gibt's für jeden einen Luftballon. Nach dem Aufblasen und Verknoten müssen sich nun alle zur Musik bewegen und alle Ballons in der Luft halten, indem sie mit verschiedenen Körperteilen spielen. Dann gehen die Paare noch einmal zusammen und probieren aus, wie sie mit zwei Ballons zwischen sich, in welchen Haltungen auch immer, miteinander tanzen können.

6. **Abschiedsritual und Ausklang** (ca. 10 Min.)
   Mit allen zusammen soll eine Abschiedsgeschichte erzählt werden: Eine(r) beginnt mit einem Satz, jede(r) ist dann einmal aufgefordert, mit einem Satz die Geschichte weiterzuerzählen. Eventuell kann noch ein „Blitzlicht“ die Gruppenstunde beenden: „Wie war's?“ Rituale und Regeln schaffen eine gute „Ordnung“, die gerade für schwierige Kinder wichtig ist.

Die Stundenbilder in diesem Buch beziehen sich immer auf 1,5 Stunden und können variabel auf mehrere sinnvolle Einheiten ausgeweitet werden. Sie sind als Basis für die Gruppenstunde gedacht, als ein Handwerkszeug zum Ausprobieren für dich als neuen GL. Besondere „Highlights“, Ausflüge, Feste usw. oder Themenprojekte finden sich in dem speziellen Kapitel dafür.

Spieleblatt

Hier haben wir eine kleine Sammlung von Spielen zusammengestellt, die dir helfen soll, nie ohne Ideen dazustehen. Vielleicht kopierst du dir die nächsten Seiten und steckst sie immer in deine Tasche, wenn du zur Gruppenstunde gehst, um spontan, falls es nötig ist, ein Spiel „aus der Tasche ziehen“ zu können.

a) Alle sitzen oder stehen im Kreis und halten sich an den Händen. Einer sagt seinen Namen und drückt die Hand zum rechten Nachbarn, der daraufhin seinen Namen sagt und die Hand seines rechten Nachbarn drückt. Dabei wird die Zeit gestoppt, die für einen Durchgang durch die Runde gebraucht wird. Bei 12 Teilnehmern darf es höchstens 7 Sek. dauern. Anschließend geht es linksherum.

b) Alle sitzen im Stuhlkreis. Der GL in der Mitte hat keinen Stuhl. Um einen Stuhl zu bekommen, sagt er zu jemandem „Zipp“ oder „Zapp“: Bei „Zipp“ muss dieser den Namen des linken Nachbarn, bei „Zapp“ den des rechten Nachbarn sagen. Vertut er sich, muss er in die Mitte und der GL bekommt seinen Platz. Ruft der in der Mitte Stehende „Zippzapp“, müssen alle ihre Plätze tauschen. Wer dabei keinen Stuhl mehr findet, muss in die Mitte.

c) Alle stehen im Kreis. Der GL hat mehrere „Flugobjekte“ bei sich; er startet mit einem Ball, den er jemandem zuwirft. Dabei ruft er laut dessen Namen. Derjenige schnappt den Ball und sucht sich eine neue Person. Das geht so lange, bis jeder einmal dran war. Der letzte Wurf geht zum GL. Nun geht es etwas schneller, immer in der gleichen Reihenfolge. Mit der Zeit kommen noch andere „Objekte“ dazu (bis zu 5 etwa), die dann optimalerweise in der Gruppe jonglieren. Gutes Reaktionsspiel!

d) Jede(r) hat einen Stift und ein Kärtchen, auf das der Vorname geschrieben wird. Nach dem Motto „nomen est omen“ – mein Name ist mein „Markenzeichen“ – soll nun jede(r) kreativ zu jedem einzelnen Buchstaben etwas schreiben: einzelne Wörter, einen Satz, ein Gedicht usw. Etwa so:

Faule und
Energische
Lachende -
Intelligentes
Chaos und
Innig
Tanzbegeisterte, auch
Abenteuer
Suchend

Sensibel
Energisch
Begegnet er
Anderen
Sehnsucht ist in ihm …
Trägt und
Initiiert
Anfänge, Aufgaben, Aufträge –
Neugierig auf Neues.

Felicitas Lieblingsspiel: „Wetter-Massage im Kreis"
Alle Kids stehen mit dir im Kreis; die linke Schulter zur Kreismitte. Alle legen die Hände auf die Schulter des

„Vordermanns". Du als GL beschreibst verschiedene Wetterstimmungen. Zunächst lässt du zum Beispiel die Sonne aufgehen (mit den Händen sanft über den Rücken streichen), dann könnten sich Wolken auftürmen (mit den Händen klopfen) und Regen und ein Sturm hereinbrechen (Fingerspitzen tippen zuerst leicht, dann stärker über den Rücken). Du kannst deine Wettergeschichte endlos ausschmücken.

Sebastians Lieblingsspiel: „Müll-Spiel"
Die Spieler legen und verkeilen sich auf dem Boden so ineinander, dass es schwer ist, einen Einzelnen aus der Gruppe herauszulösen, und bilden somit einen Müllhaufen. Zwei aus der Gruppe werden zu Müllmännern bestimmt, die den Müll voneinander trennen müssen. Derjenige, der von den Müllmännern aus dem Müllhaufen herausgeholt wurde, hat verloren und muss nun den Müllmännern helfen. Erlaubt sind nur in Maßen das Einsetzen der eigenen Kräfte; verboten dagegen das Kratzen, Kitzeln und Schlagen. Ein tolles Action-Spiel, bei dem ihr als GL aber aufpassen müsst, dass dieses Spiel nicht eskaliert.

Drei Spiele für draußen:

Memory: In zwei Mannschaften spielen die Kinder um die Wette, wer zuerst die meisten Memory-Pärchen hat; dazu liegt ein Memory-Spiel offen kreuz und quer am Ende einer abgesteckten Lauf-Hindernis-Strecke, die immer ein Kind einzeln bewältigen muss.

Die Schlange: Alle Kids stehen in einer langen Schlange hintereinander und fassen sich fest an die Taille. Der Erste der Schlange muss den Letzten der Schlange berühren, ohne dass die Schlange reißt.

Zehner-Ball: Du teilst deine Gruppe in zwei Mannschaften ein. Alle stehen durcheinander. Die erste Mannschaft hat die Aufgabe, einen Ball zehnmal in der eigenen Mannschaft hin und her zu werfen (dabei die Zahl laut rufen). Die zweite Mannschaft versucht das zu verhindern. Wenn sie den Ball erkämpft hat, versucht sie nun ebenfalls zehn Pässe innerhalb ihrer Mannschaft zu erreichen.

Kirchliche Jugendarbeit – nicht mit, aber auch nicht ohne Kirche!

Nun geht es erst einmal darum zu klären, was kirchliche Jugendarbeit überhaupt ist. Verzeihe uns bitte die Frage, aber warum engagierst du dich eigentlich in der Kirche? Du könntest doch genauso gut in einem Verein oder in einem städtischen Jugendheim mitmachen!

Du wirst in deiner Arbeit viele dieser Fragen gestellt bekommen und es ist wichtig, dass du dich selbst fragst, was das Gute und Tolle an der Arbeit in der kirchlichen Jugendarbeit ist. Dabei wollen wir dir nicht irgendwelche Paragrafen oder Äußerungen vorgeben, sondern mit dir gemeinsam überlegen, was das Besondere an deiner Arbeit darstellt. Denn letztlich ist es doch etwas Besonderes, sich in der Kirche zu engagieren!

Stell dir mal in Ruhe vor, du solltest dich mit der Frage auseinandersetzen, was für dich kirchliche Jugendarbeit ist:

Hallo!
Ich habe deinen Namen und deine E-Mail-Adresse im Verzeichnis deiner Pfarrgemeinde/Region gelesen und dass du eine eigene Gruppe leitest. Ich hätte schon Lust, auch einmal als Gruppenleiter tätig zu werden und mit den Kids etwas zu erleben. Ich frage mich nur, warum du das in der kirchlichen Jugendarbeit machst. Was ist denn das Besondere daran? Ehrlich gesagt stelle ich mir das so vor, dass ihr viel betet und in eurer Gruppe ziemlich viele komische Leute sind, mit denen ich nichts anfangen kann. Ich kannte einmal eine Gruppe, in der war es etwas anders, aber ich finde, dass in der Kirche kaum Platz ist für neue Ideen und neue Wege. Hättest du Lust mir zu erklären, was kirchliche Jugendarbeit für dich bedeutet? Was ist das gewisse Extra? Worin unterscheidet sie sich von anderen Jugend- oder Kindergruppen?
Hättest du etwas dagegen, wenn ich einfach mal bei euch vorbeischaue?
Ciao,
Kai

Wenn du Lust hast, versuche doch einmal die E-Mail zu beantworten (du kannst sie auch gerne an uns senden; die E-Mail-Adresse steht auf S. 12.

… nicht mit Kirche! – Abgrenzung ist wichtig

Aber so ist es doch überall, wo man sich engagiert und mitmacht: Es gibt tolle Seiten und weniger schöne, es gibt Streit und Auseinandersetzung. Und ein ganz wichtiger Schritt ist die kritische Auseinandersetzung mit dem, was man tut und für wen man etwas tut. Ehrlicherweise muss man sagen, dass es für dich manchmal schwer ist, zuzugeben, dass du in der kirchlichen Jugendarbeit tätig bist, oder? In unserer heutigen Welt hat die Kirche meist keinen großen Stellenwert mehr bei den Menschen. Vielen erscheint sie weltfremd und unmodern. Ein anderer Punkt ist die manchmal wirklich unverständliche Auseinandersetzung der Kirche mit sich selbst: Sie ist momentan mehr mit sich selbst beschäftigt, als dass sie geschlossen nach außen treten kann. Es gibt moderne und konservative Richtungen, es gibt Streit um den richtigen Weg und wer ihn bestimmt, es gibt Streit um die Zukunft. Dabei scheint die Kirche manchmal den wahren Auftrag zu vergessen, nämlich zu den Menschen zu gehen und sich mit den wirklich wichtigen Dingen zu beschäftigen.

Es ist wichtig, dass du auch sagst, was dich in deiner Gemeinde oder an der Kirche insgesamt stört. Du bist wichtig mit deinen Meinungen und es gibt viele Möglichkeiten, sie zu äußern.

Der Innenkreis – Diskussionsspiel zum Thema „Was mich an und in der Kirche/Gemeinde stört"

A: ab 14 Jahre
Z: ca. 30 Min.
V: Stuhlkreis, 2 Gruppen
D: Die Gruppe teilt sich in zwei Kleingruppen, die einen inneren und äußeren Kreis bilden. Im inneren Kreis diskutieren alle gemeinsam über das, was sie an der Arbeit in der Kirche oder Gemeinde stört, wo sie die Kirche für veraltet und starr halten. Außen beobachten die anderen die Diskussion und nehmen nicht an ihr teil. Eventuell sollte der GL sich Gedanken machen, welche weiteren Stichpunkte er in die Runde einbringen könnte.

Wenn ein Teilnehmer aus dem Innenkreis aussteigen will, steht er auf und setzt sich in den äußeren Kreis. Nun kann ein Teilnehmer aus dem äußeren Kreis seinen Platz übernehmen und mit den anderen weiterdiskutieren.

Ihr könnt auch vorher einige Zeit die Gruppe in Kleingruppen Argumente für eine These (Sind wir euch egal? – Jugendliche haben keinen Platz in der Kirche) überlegen lassen, die ihr dann später mit dieser Methode diskutiert.

Ein weiterer Gesichtspunkt: Wenn die Kirche euch nicht in der kirchlichen Jugendarbeit hätte, ihr euch in ihr engagiert und durch eure Meinungen Streit und Konflikte auslöst, wäre sie um einen wichtigen Teil ärmer und würde sich gar nicht entwickeln. Ihr seid dazu da, um in eurer Gemeinde auch „Stürme" auszulösen und alte Strukturen aufzubrechen. Die Jugend ist die Zukunft der Kirche! Das ist manchmal hart und sehr anstrengend. Aus unserer eigenen Erfahrung wissen wir, wie viel Kraft das kostet.

Vielleicht siehst du es manchmal in deiner Arbeit auch so: Deine Arbeit steht in der Pfarrgemeinde ganz hinten an, zumindest erhaltet ihr nicht so viel Aufmerksamkeit wie ihr euch wünscht. Viel wichtiger scheint den anderen zu sein, dass die Gottesdienste regelmäßig stattfinden, dass in den Gremien über Kleinigkeiten gesprochen wird, wobei sich aber doch nichts ändert. Die Kirche schafft es einfach nicht, mehr nach außen zu gehen. Und da wollen wir dich auffordern: Das ist deine Aufgabe, die du doch einfach übernehmen könntest. Du machst mit deiner Gruppenstunde wichtige Arbeit. Das meinen wir damit, wenn wir zu Beginn gesagt haben „... nicht mit Kirche!". Ohne sich ein Stück weit abzugrenzen, neue Wege zu gehen und sich auch mal in der richtigen Form und Wortwahl zu streiten, kann man in der Kirche nichts bewegen. Wir haben ja schon genug „Ja-und-Amen-Sager"! Daher gehört ihr mit euren Meinungen und Ansichten und mit eurer Arbeit nicht immer zur großen Mehrheit in der Kirche, aber ihr seid für sie gerade deswegen besonders wichtig.

… aber auch nicht ohne Kirche! – mein Platz in der Kirche

Damit ist schon klar, dass ihr ohne die Kirche, die Gemeinde, die Räume des Pfarrheims, letztlich ohne finanzielle und praktische Hilfe durch andere nicht weiterkommt. Ihr habt natürlich einen Platz in dieser Kirche und der Kirche ist es sehr wichtig, dass ihr da seid (auch wenn sie das viel zu wenig betont). Ihr habt euren Platz in dieser Kirche, bei all den Auseinandersetzungen, Rückschlägen und auch Erfolgserlebnissen.
Wir hatten ja bereits gesagt, dass ihr eine wichtige Aufgabe habt, nämlich die Kirche ein Stück weit nach außen zu öffnen. Das macht ihr beispielsweise in der Gruppenstunde, wenn ihr Kinder und Jugendliche dabei habt, die sonst nicht zur Kirche kommen und wenig mit ihr am Hut haben, wenn ihr das Pfarrheim verlasst

und nach draußen geht und Aktionen durchführt, an denen viele andere aus der Gemeinde teilnehmen können.

Collage zum Thema „Wie kann ich mit meiner Gruppe das Pfarrheim verlassen und mit den Menschen außerhalb der Kirche in Kontakt kommen?"

A: ab 14 Jahre

Z: ca. 45 Min.

V: Diese Methode kannst du allein, mit dem Leitungsteam oder mit den Gruppenmitgliedern machen, wenn sie alt genug sind.
Sammeln von Fotos, Zeitungen, Texten und anderen Materialien.

D: Eine „Collage" ist eine Fläche (Plakat), die durch aufgeklebte Materialien wie Papier, Pappe, Holz, Steine, Stoffe usw. gestaltet wird.
Du stellst die Materialien zur Verfügung und forderst die Teilnehmer auf, zum Thema eine Collage zu erstellen. Dafür muss genügend Zeit zur Verfügung stehen. Die Ergebnisse können in einer Art „Vernissage" von den Künstlern vorgestellt werden. Die Ergebnisse werden gesammelt und es wird überlegt, welche davon auch in die Tat umgesetzt werden können.

Zum gleichen Thema kannst du auch andere Methoden anbieten: Arbeiten mit Ton, Fantasiebilder oder Graffitis malen lassen.

Stopp! Vielleicht hast du bis hierhin gelesen und dich gefragt, ob das alles für dich zutrifft. Aus vielen Gesprächen wissen wir, dass viele GL gerne in der kirchlichen Jugendarbeit mitmachen, sich aber wenig mit der Frage auseinandersetzen, warum sie das gerade in der Kirche tun. Vielleicht ist es einfach so gekommen, weil deine Eltern dich geschickt haben oder Freunde dich mitgenommen haben. Uns ist es aber wichtig, dass du diesen Weg einmal nachgehst. Es ist oft ein besonderer Weg …

Mein Weg als GL – Reflexion über den eigenen Werdegang als Gruppenleiter in der Pfarrgemeinde, im Verband oder in der Kirche

A: ab 12 Jahre
Z: ca. 45 Min.
V: Fußspuren (ausgeschnittene Füße aus Papier/Pappe)
D: Du bzw. die GL sollen sich bewusst machen, wie und warum sie GL geworden sind. Jeder erhält mehrere ausgeschnittene Fußspuren. Auf diese Spuren sollen die Teilnehmer wichtige Schritte ihres

Werdegangs als GL schreiben: Wie wurde ich GL? Wer sprach mich an? Habe ich selbst Gruppenerfahrung? Wann hatte ich erste Kontakte mit der kirchlichen Jugendarbeit? Wer hilft mir bei meiner Arbeit? Anschließend sollen die Teilnehmer im Kreis sitzend die beschriebenen Fußspuren von sich aus bis zur Mitte legen und so ihren „Weg" darstellen: Geht der Weg gerade? Wo gab es Rückschritte? Wann ging ich in die falsche Richtung?
Anschließend können die Wege der einzelnen GL vorgestellt werden.
Draußen können Steine, Blätter und andere Dinge gesammelt und mit in den Weg des GL gelegt werden. Sie können „Stolpersteine" und Hindernisse, aber auch Freude und Zuversicht symbolisieren.

Natürlich gibt es auch „offizielle" kirchliche Aussagen zur Jugendarbeit. Die Würzburger Synode, eine wichtige Versammlung der katholischen Kirche in Deutschland Anfang der 70er Jahre, hat ganz wichtige Aussagen darüber getroffen, warum es für die Gemeinde und Kirche so wichtig ist, dass sich viele gute Leute in der Kirche engagieren. Wir haben diese Empfehlungen in die nachfolgende Kopiervorlage „Die zehn Gebote der kirchlichen Jugendarbeit" eingearbeitet.

Die zehn Gebote der kirchlichen Jugendarbeit

Du sollst eine offene kirchliche Jugendarbeit unterstützen Deine Arbeit darf sich nicht auf bestimmte Zielgruppen einengen, sondern soll für alle Kinder und Jugendlichen offen sein.
Du sollst die Arbeit einer „Gruppe" fördern Es steht nicht der GL im Mittelpunkt, sondern die Gruppe. Dabei stehen der Gruppenprozess, die Beziehungen untereinander sowie das gemeinsame Handeln im Zentrum.
Du sollst die Themen und Inhalte der Arbeit von der Gruppe selbst wählen lassen Was in der Pfarre oder Region passiert, hängt von der örtlichen Situation ab. Dabei sollen die Kinder und Jugendlichen selbst entscheiden, was Inhalt der kirchlichen Jugendarbeit ist.
Du sollst das Ehrenamt unterstützen Das tust du, indem du ja selbst ehrenamtlich engagiert bist. Ohne ehrenamtliche GL ist die kirchliche Jugendarbeit undenkbar.
Du sollst dich durch Schulungen weiterbilden Durch regelmäßige Gespräche, durch einen Mentor oder durch Gruppenleiterausbildungen in den Regionen und Bistümern kannst du dich aus- und weiterbilden.
Du sollst in Gremien und Verbänden mitarbeiten und die Arbeit der Pfarrgemeinde unterstützen In den Kirchen gibt es selbstorganisierte Formen der kirchlichen Jugendarbeit (KJG, Messdiener usw.), denen eine wichtige Bedeutung zukommt. Auch die Mitarbeit in den Gremien der Pfarrgemeinde, beispielsweise in den Pfarrgemeinderäten oder Sachaus-

schüssen, ist für GL eine wichtige Arbeit, in der ihr vieles mitentscheiden und verändern könnt.
Du sollst dich auch für geeignete Gruppenräume im Pfarrheim einsetzen, für die Unterstützung durch hauptamtliche Mitarbeiter (Pfarrer, Pastoralreferent usw.). Ihnen musst du zeigen, dass ihr Unterstützung braucht und sie euch in eurer Arbeit helfen können.

Du sollst dich in deiner Arbeit an Jesus von Nazareth orientieren
Du kannst als jugendlicher GL auch anderen Jugendlichen bei ihrer Suche nach Selbstverwirklichung helfen. Der Lebensweg Jesu Christi ist eine Antwort auf die Fragen nach Sinn und Glück im Leben. Vorher musst du aber für dich klären, was Jesus für dich bedeutet: Kann er dir Vorbild sein?
Dabei stehen auch das soziale und politische Engagement im Mittelpunkt. Wo kannst du in Gesellschaft und Kirche im Namen Jesu Partei ergreifen und christlich handeln?

Du sollst Zeit und Freude an deiner Aufgabe als Gruppenleiter/-in haben
Es ist nicht selbstverständlich, dass du eine Gruppe leitest; bedenke, dass die Kids und die Vorbereitung viel Zeit in Anspruch nehmen. Aber du wirst auch belohnt durch die vielen schönen Erlebnisse und tollen Rückmeldungen. Es macht Spaß und Freude, die Kids ein Stück im Leben begleiten zu können.

Die zehn Gebote der kirchlichen Jugendarbeit

A: ab 14 Jahre
Z: ca. 30 Min.
V: Kopiervorlage für alle kopieren
D: Die auf den beiden vorhergehenden Seiten abgedruckten zehn Gebote zur kirchlichen Jugendarbeit könnt ihr zunächst alleine und dann in Kleingruppen durchlesen und diskutieren. Am Ende soll in den Gruppen eine Rangfolge erstellt werden: Das für euch wichtigste Gebot kennzeichnet ihr mit einer 1, das zweitwichtigste mit einer 2 usw.

In der Kopiervorlage sind zwei Gebote absichtlich freigelassen worden. Da kannst du oder die Kleingruppe deine eigenen Gebote festhalten.

Und die Zukunft? – neue Wege wagen

Du hast dich nun sehr genau mit der Arbeit in der Kirche auseinandergesetzt. Es ist klasse, dass du dir für ein solch schwieriges Kapitel Zeit genommen hast.

An dieser Stelle wollen wir mit dir gemeinsam überlegen, wie die Zukunft der kirchlichen Jugendarbeit in den Pfarren und Regionen aussehen könnte. Wir stellen auch gewagte Thesen auf, aber ohne Visionen kann die Kirche nicht lebendig sein und sich ändern.

1. These: Feste Gruppen werden in der nächsten Zeit wieder einen höheren Stellenwert erhalten

Das hört sich wenig einleuchtend an, wenn wir bedenken, wie schwierig es ist, junge Menschen für die Arbeit in der Kirche zu begeistern. Und wie schwierig ist es erst, die Kids in den Gruppen sinnvoll zu beschäftigen, dass ihnen nicht langweilig wird; fernab von PC, TV und SMS-Kult!

In den letzten Jahren können wir gerade in den Pfarren, die sich um kirchliche Jugendarbeit in festen Gruppen bemühen, sehen, dass diese Arbeit sich lohnt. Im Kapitel über die Lebenswelt von Kindern (S. 31 ff.)

haben wir ja bereits besprochen, wie wichtig Vertrautheit, Regelmäßigkeit, Schutz und Schonraum für sie sind. Und das genau bieten feste Gruppen.

Auch in eurer Gemeinde könnt ihr mit euren Gruppen versuchen, diesem neuen Trend gerecht zu werden, indem ihr möglichst für junge Leute feste Gruppenstunden anbietet, in denen sie sich regelmäßig und mit den gleichen Leuten treffen.

2. These: Kirchliche Jugendarbeit ist oft eine kurze, aber intensive Begleitung

Das widerspricht zunächst der ersten These von den festen Gruppen. Aber genau wie es Menschen gibt, die diese festen und regelmäßigen Gruppen klasse finden, wird es Menschen geben, die sich beispielsweise nur für wenige Wochen oder Monate in der kirchlichen Jugendarbeit engagieren, mittun oder daran teilnehmen. Nicht alle wollen sich binden und sich verpflichten, an Gruppentreffen regelmäßig teilzunehmen. Für diese Menschen sind feste Gruppen natürlich nicht das Richtige; sie finden eher Aktionen, Projekte und Gruppen für eine begrenzte Zeit sehr ansprechend. Dabei muss für sie aber immer klar sein, dass nach einer gewissen Zeit auch ein Ende in Sicht ist und die Gruppe sich auflöst.

In vielen Gemeinden und in der Kirche ist diese Arbeit noch nicht wirklich akzeptiert. Wir können an dieser Stelle lange streiten, ob es sinnvoll ist, für so kurze Zeit Kinder und Jugendliche zu begleiten und dann wieder gehen zu lassen. Gerade in den Pfarren trauert man diesen Menschen hinterher. Aber man muss auch die andere Seite sehen: Unsere Arbeit darf sich nicht nur darauf beschränken, Kinder und Jugendliche für eine möglichst lange Zeit in Gruppen in der Pfarre festzuhalten. Auch eine kurze Wegbegleitung kann für einen Menschen sehr wichtig und prägend sein. Doch gerade das Loslassen will und muss gelernt werden. Und so kann auch ein nur wenige Wochen dauerndes Projekt wichtig sein und daher die Mühe rechtfertigen, die die Vorbereitung und Durchführung kostet, auch wenn sich die Teilnehmer danach nicht mehr sehen lassen.

Gerade die Wegbegleitung (Mentoring), die wir im Abschnitt auf S. 25 ff. herausgehoben haben, war und ist eine wichtige Möglichkeit, neue GL in den Gemeinden und Bistümern zu schulen und sie zu begleiten. Diese Art und Form der Schulung, des Miteinander-Lebens ist ein urchristliches Beispiel für „Weggemeinschaft", die uns stärkt, hinterfragt, aufwühlt, in Schutz nimmt und reifen lässt.

3. These: Wir müssen „Oasen" schaffen

Damit meinen wir, dass kirchliche Jugendarbeit tatsächlich das gewisse Extra hat. Wenn tolle Kinder und Jugendliche sich engagieren und mitmachen, dann werden auch neue Ideen, Themen und Projekte durchgeführt, die vorher noch nie da waren. Damit ist die Jugendarbeit sogar den anderen voraus. Solche „Oasen" der Erneuerung und des Aufbruchs müssen in den Pfarrgemeinden weiter ausgebaut werden. Jeder und jede darf Neues denken und auch umsetzen. Man darf ausprobieren, auch mal das Falsche sagen und machen.

Mit Oasen meinen wir aber auch religiöse Freiräume. Wir spüren in Gesprächen und Projekten, dass gerade bei euch Jugendlichen die Sehnsucht da ist, auch Religiöses ins Spiel zu bringen. Vielleicht nicht immer nach dem Schema, wie die Erwachsenen in den Gemeinden das gerne hätten. Aber die Kirche braucht auch euren Glauben oder Unglauben, um sich weiterzuentwickeln. Das heißt aber auch, dass ihr diesem (Un-) Glauben Namen geben müsst. Ihr müsst sagen, was ihr wollt und glaubt, was ihr auch auf dem religiös-spirituellen Gebiet gerne machen wollt. Das Kapitel „Den Spuren Gottes folgen" soll euch hier Anregungen geben. Dann entstehen Oasen, an denen der Durst nach Erneuerung, Aufbruch und eigenen Ideen gestillt werden kann.

So, und nun warten dein Pfarrer, deine GL-Kollegen und auch wir auf eine Stellungnahme zur kirchlichen Jugendarbeit. Nach diesem Kapitel wird dir doch bestimmt mehr einfallen als in deiner ersten E-Mail, in der du die Fragen von Kai beantwortet hast.

Projektarbeit konkret

Die Arbeit in Projekten stellt für dich und deine Kids eine echte Alternative zur herkömmlichen Gruppenarbeit dar:

- Ein Projekt bezieht sich auf ein bestimmtes Thema, zu dem die ganze Gruppe arbeitet, und vollzieht sich über mehrere Treffen.
- Du brauchst nicht einzelne Stunden zu planen, sondern hast ein Thema für mehrere Wochen und Monate.
- In einem Projekt können alle aus der Gruppe je nach ihren Stärken mitmachen.
- Deine Gruppe lernt sich „neu“ kennen.
- Wenn ihr eure Projektergebnisse vorstellt, könnt ihr auch der ganzen Pfarrgemeinde zeigen, dass ihr etwas könnt.
- Ihr könnt neue Gruppenmitglieder werben.

Wir wollen euch in diesem Kapitel verschiedene Projekte vorstellen, die ihr durchführen könntet. Wichtige Voraussetzungen sind jedoch die Motivation der Kids (ein Projekt läuft schief, wenn keiner wirkliche Motivation dazu hat) und eine „richtige“ Gruppe. Damit möchten wir dich an die „Gruppenphasen“ erinnern: Eine Gruppe, die sich schon länger kennt, jeden Einzelnen mit seinen Stärken und Schwächen schätzt und jeden seinen individuellen Weg gehen lässt (also die Vertrautheits- oder Differenzierungsphase), ist bestens für Projekte geeignet.

Planung, Durchführung und Reflexion

Grundsätzlich ist es wichtig, dass ihr zunächst eure Gruppe kennt, bevor ihr euch Gedanken über ein Thema macht. Die Frage nach dem Alltag deiner Kids (vgl. Kapitel „Deine Gruppe“, S. 31 ff.) ist besonders wichtig. Woher sind deine Kids? Wie sieht ihr Alltag aus und was für Interessen haben sie?
Dann funktioniert ein Projekt in der Regel in drei Schritten:

1. Planung

Sehr gut ist es, wenn deine Kids das Thema eines Projekts selbst auswählen und sie das Projekt mit deiner Hilfe selbst planen und durchführen. Aber in der Realität ist das meist schwierig. Und so kann es manchmal sinnvoll sein, dass du als GL das Thema vorgibst bzw.

einfach mehrere Themen zur Verfügung stellst. Zur Planung gehören aber auch viele organisatorische Dinge (Wo bekomme ich Geld her? Welchen Zeitplan wird es geben? Welche Hilfe brauchen wir? Welches Material muss besorgt werden?).

2. Durchführung

Jeder von euch muss Verantwortung übernehmen. Jeder hat eine bestimmte Aufgabe innerhalb des Projekts. Wichtig ist, dass ihr euch immer kleine Ziele für Zwischenergebnisse steckt, damit ihr durch Erfolgserlebnisse zum Weitermachen motiviert werdet und eventuelle Probleme euch nicht frustrieren. Versucht regelmäßige Pausen und Treffen in der Großgruppe zu organisieren, um die Probleme, aber auch Erfolge zu reflektieren.

3. Präsentation/Reflexion

Zu einem erfolgreichen Projekt gehört, dass ihr am Schluss die Ergebnisse präsentiert. Da gibt es die verschiedensten Möglichkeiten, der Pfarrgemeinde, den Eltern und Interessierten eure Ergebnisse vorzustellen: Ausstellungen im Pfarrheim oder in der Kirche, Aufführungen, Aktionen und vieles mehr. Übrigens darf man sich bei einem gelungenen Projekt auch selbst mal loben. Und vergesst das Feiern nicht!

Und nun möchten wir euch einige Projekte, die wir selbst durchgeführt haben, einmal vorstellen …

„Garten Eden“ – eine Sinnes-Schulung

Erste Schritte:
Die Jugendgruppe der Gemeinde wird gebeten, etwas für das nächste Pfarrfest oder für die Ferienspiele für Kinder zu gestalten. Es sollte ein Team von Jugendlichen da sein, die Lust haben, etwas gemeinsam zu gestalten.

Je nach Wetterlage kann der Sinnesgarten draußen oder drinnen aufgebaut und durchgeführt werden. Ziel ist neben der Sinnesschulung als solche auch die Durchführung einer guten Öffentlichkeitsarbeit.

Planung:
- Zielgruppe: Kinder von 6–12 Jahren
- Größe der Gruppe: ab 15–20 Teilnehmer (variabel nach Vielfalt der Stationen)
- Zeitraum: interessant für 1–3 Tage
- Material/Medien: Hier wird einiges benötigt, was

vielleicht schon in der Pfarre vorhanden ist oder auch besorgt werden muss (s.u.).

- Finanzen: Wegen Zuschüssen für Kreativmaterial fragt einmal in der Pfarre oder im Jugendamt nach.
- Räume: Wenn möglich 2 oder mehrere Räume, damit auch Ruhezonen geschaffen werden können; auch ein schönes Außengelände bietet sich an.
- Kooperationspartner: Erwachsene aus der Gemeinde, etwa dem Pfarrgemeinderat, können hilfreiche Unterstützung sein.

Durchführung:
Es werden verschiedene Stationen aufgebaut, an denen die unterschiedlichen Sinne angesprochen und geschult werden:

- **Folienmalerei**: An einem dünnen Seil wird Malerfolie befestigt (den Boden darunter auch abdecken) und ein Kind malt mit Fingerfarben oder Pinseln und Abtönfarben ein anderes Kind ab, das auf der anderen Seite der Folie in einer Pose steht.
- **Farbschleuder**: Das ist eine Tonne, auf deren Boden Papier oder Pappe befestigt ist, die man schnell drehen können muss; beim Schleudern lässt ein Kind verschiedene Farben hineintropfen.
- **Mandala**: Kopiervorlagen für Mandalas gibt es in

verschiedenen Bastelbüchern; Mandalamalen entspannt und konzentriert die Kinder.

- **Montagsmaler**: Mehrere Kinder stehen in einer Reihe. Vorgegebene Begriffe werden nun vom Hintersten auf den Rücken des Vordermanns gemalt. Was dieser aus dem Gemalten „erkannt" hat, malt er nun selbst auf den Rücken seines Vordermanns. So wird der Begriff von Rücken auf Rücken weitergegeben. Der Letzte malt dann auf Papier und versucht, den Begriff zu erraten.
- **Scharade**: Begriffe werden pantomimisch vor einer Gruppe dargestellt und müssen erraten werden; kann auch auf Zeit gespielt werden.

- **Kimspiele** (zur Förderung der Sinnestätigkeit): in Memory aus Filmdöschen bauen, die mit unterschiedlichem Material gefüllt sind, die entweder Geräusche machen oder riechen oder schmecken. Immer zwei Döschen haben den gleichen Inhalt. Oder:

  In einer „Fummel-Fühl-Kiste", einem mit Naturmaterialien gefüllten Schuhkarton, der schön beklebt ist und ein kleines Loch zum Hineingreifen im Deckel hat, ist ein Gegenstand, der ertastet werden muss. Oder:

  „Was war alles unter der Decke?": ca. 20 kleine Gegenstände liegen unter einer Decke, die für 1 Minute gelüftet wird. In der Zeit müssen sich die Kinder möglichst viele einprägen und anschließend aufzählen.

- **Malaktionen**: Taschen, T-Shirts, Straße bemalen – Action-Painting: ein großes Bild wird von allen zusammen gemalt.
- ... und alles das, was euch noch einfällt ...

„Nimm doch nicht immer alles so wörtlich!" – Bewegungstheater

Erste Schritte:

Ziel ist es, mal mit einer Jugendgruppe etwas Besonderes zu gestalten. Dies kann in mehreren Gruppenstunden oder als Projekt durchgeführt werden.

Planung:

- Zielgruppe: ab 12 Jahre
- Größe der Gruppe: ca. 12 Teilnehmer
- Raumgestaltung: großer Raum, möglichst wenig Tische, Stühle usw.
- Material: Rhythmus-Instrumente (kann man auch selbst bauen), Musikanlage, Musik (passende aussuchen!), Decken, Kerzen, Duftöl

Durchführung:
Für dieses Thema ist es sinnvoll, wenn du Vorerfahrungen im Theaterspielen oder Tanzen hast (Schul-AG, Sportverein, Jugendkunstschule). Bei wenig Vorerfahrung probiere doch zunächst einmal, eine einzelne Gruppenstunde zu diesem Thema durchzuführen:

„Redewendungen"

1. Teil:

a) „nach innen/außen schauen": zur rhythmisierten Bongobegleitung durch den Raum gehen, dabei im Takt bleiben und „nach innen schauen". In Trommelpausen stehen bleiben und nur den Kopf bewegen, „nach außen schauen", Blickkontakte aufnehmen. Diese Phase eventuell stimmlich unterstützen.

b) „nicht wissen, wo einem der Kopf steht": Diesmal zur Musik gehen, gut den Körper im Gang spüren. In der Pause wieder stehen bleiben, aber nicht nur den Kopf, sondern auch den Rumpf drehen, beugen, etwas suchen …

c) „jemandem den Kopf verdrehen": In Partnerarbeit, ohne Musik oder andere Begleitung, damit individuell verschiedene Tempi ausprobiert werden können: Einer geht stur geradeaus, bis ihn der Partner durch Berührung mit beiden Händen am Kopf stoppt und diesen in eine neue Richtung dreht. Die „Schattengeher“ haben die Verantwortung, dass es keine Anstöße gibt. Nach einer Weile wechseln die Partner die Rolle.

2. Teil:

a) „den Kopf in den Sand stecken“: Wir stellen uns im Kreis auf, suchen einen sicheren, guten Stand und spüren den Körper von der Fußsohle bis zur Schädeldecke. Auf die Impulse der Musik drehen wir den Kopf zur Seite und lassen dann das Kinn zum Brustbein sinken. Nach den Kopfisolationsübungen beziehen wir den Rumpf ein (öffnen und zusammenziehen), bis hin zu Ganzkörperwellen in verschiedene Richtungen. Fließende Bewegungen sollen geübt werden.

b) In Partnerarbeit: Über verschieden starke Druckimpulse am Kopf durch die Hand des Partners, kommt der Körper in Bewegung. Die Energie des Impulses soll in den ganzen Körper auslauten, und der Partner gibt immer neue „Anregungen“. Nach einer Weile wieder Wechsel der Rollen.

3. Teil:

Zu zweit oder zu dritt werden die Redewendungen

„nicht wissen, wo einem der Kopf steht", „jemandem den Kopf verdrehen" und „den Kopf in den Sand stecken" in eine rhythmisierte Bewegungsfolge umgesetzt, die wiederholbar den anderen Teilnehmern präsentiert werden kann. Beim Festlegen kann es hilfreich sein, die Bewegungen mit der Stimme oder mit Klanggesten zu unterstützen.

„Unsere Gruppe sucht den Super-Star" – ein Talentwettbewerb

Nicht nur im Fernsehen, sondern auch in eurer Gruppe oder Pfarrgemeinde gibt es wirkliche Super-Stars. Das Projekt wird von eurer Gruppe durchgeführt. Es soll ein Talentwettbewerb sein, in dem entweder eure Gruppe oder die ganze Pfarrgemeinde die Möglichkeit hat mitzumachen.

Planung:
In eurer Gruppe solltet ihr euch in der ersten Stunde einigen, was ein „Super-Star" überhaupt ist. Dazu bieten sich Methoden wie zum Beispiel ein „brain-storming" oder eine „Collage" aus alten Zeitschriften an. Bei dieser Runde werden sicherlich viele ihre Idole und Schwärmereien aus Kino, Fernsehen und Musikge-

schäft vorstellen. Eine echte Alternative, die man mit älteren Jugendlichen durchführen kann, ist die Frage nach „echten" Super-Stars. Vielleicht traut ihr euch an dieses Thema heran. „Echte Super-Stars" sind nämlich Menschen in eurer unmittelbaren Umgebung (Schule, Pfarrgemeinde, Stadt ...), die sich für andere Menschen besonders einsetzen und ihre Talente dort entfalten. Oder Menschen, die gerne schreiben, singen, Menschen treffen – mit dem Unterschied, dass sie das nicht nur für sich, sondern für andere Menschen tun.

Nach der Themenabsprache solltet ihr euch über den Ablauf verständigen: Ihr macht Werbung für eure Talent-Show, ladet einige Leute dazu persönlich ein und fragt wichtige Menschen (Eltern, Pfarrer, Gemeindereferentin usw.), ob sie Interesse haben, an diesem Projekt teilzunehmen. Klärt ab, ob ihr einen entsprechenden Raum für einen Samstagnachmittag oder -abend haben könnt.

Ort, Zeit, Thema und weitere Informationen sollten auf einem Plakat als Werbung und Einladung veröffentlicht werden.

Nehmt euch dann in den Wochen davor viel Zeit, um die Werbung zu gestalten und auszuhängen, das Bühnenbild zu erstellen und den Showablauf zu proben.

Folgende Aufgaben könnt ihr je nach Interesse und Fähigkeiten verteilen; du als GL hast die Aufgabe, im Hintergrund beratend und koordinierend zur Seite zu stehen:

- Werbung
- Ansprechen der Leute
- Regie (Ablauf des Tages verschriftlichen)
- Jury-Mitglieder auswählen (vgl. Ablauf)
- Moderatoren auswählen
- Technik (Musik, Licht usw.)
- Getränkeverkauf organisieren und durchführen (gibt Geld für eure Gruppenkasse)

Durchführung:
Der Tag der Super-Stars: Wir stellen euch nun den groben Ablauf eines solchen ereignisreichen Tages vor. Ihr müsst noch vieles selbst organisieren und planen.

Bevor es losgehen kann, solltet ihr euch früh treffen, um den Raum vorzubereiten und den Ablauf nochmals zu proben. Der Moderator begrüßt das Publikum und stellt kurz die Menschen vor, die sich auf das Plakat hin gemeldet haben (Gut wäre es, wenn ihr bei der Werbung darauf achtet, dass sich die Kids anmelden; dann wisst ihr ungefähr, wie viele mitmachen.). Die Jury wird vorgestellt, die dafür zuständig ist, die einzelnen

„Talente“ zu bewerten. Nacheinander treten die einzelnen Leute auf und jeder darf das, was er besonders kann, vorstellen. Toll wäre es, wenn es möglichst viele unterschiedliche Dinge wären (Musikinstrumente spielen, Singen, Play-back, Akrobatik, Tanzen, Zauberei usw.). Die Jury und das Publikum geben ihr Votum ab. Am Schluss der Feier werden die Besten prämiert und erhalten einen Preis. Jeder der Teilnehmer sollte eine Urkunde von euch erhalten.

Reflexion:
Oder die „after-hour“! Ihr solltet euch nachher mit allen, die an dem Projekt mitgearbeitet haben, zusammensetzen und feiern! Beim nächsten Treffen solltet ihr noch reflektieren, wie das Projekt angekommen ist, was gut war und was beim nächsten Projekt noch besser geplant und durchgeführt werden kann.

Ferienspiele

Aus so einem Thema wie der „ehrenamtliche SuperStar“ oder der „Garten Eden“ oder auch etwas anderem, was dir als GL oder deiner Gruppe besonders Spaß macht, könnt ihr in der Ferienzeit eine größere Aktion machen.

Ferienspiele für Kinder erfreuen sich gerade in den langen Sommerferien immer größerer Beliebtheit, da ein mehrwöchiger Urlaub für immer weniger Kinder selbstverständlich ist. Wenn ihr so eine Woche in eurer Pfarrgemeinde gestaltet, ist das eine große Aufgabe, die viel Arbeit, aber auch Spaß bedeutet und die sehr sinnvoll ist. Wir empfehlen euch, ein konkretes Thema auszusuchen, denn dann kann man zu diesem Oberthema verschiedene spielerische und kreative Einzelaktionen durchführen und die Ergebnisse am Schluss im Rahmen einer thematischen „Show“ oder eines Abschlussfestes vorstellen.

Bei der Organisation von Ferienspielen solltet ihr Folgendes berücksichtigen:
Zunächst muss sich ein gutes Team finden aus genügend engagierten Jugendlichen und Erwachsenen (Richtschnur: auf 6 Kinder 1 Betreuer). Es hat sich als günstig erwiesen, wenn es eine organisatorische Leitung gibt, die alle Fäden in der Hand hält.
Ferienspiele sollten mindestens über fünf Tage mit jeweils mindestens vier Stunden stattfinden; an Teamtreffen müsstet ihr etwa fünf Treffen einplanen.
Für einen gut strukturierten Ablauf der einzelnen Ferientage empfehlen wir euch eine Einteilung der Kinder in zeitweise thematisch festgelegte Kleingruppen (z. B.

Herstellen von Kostümen oder Bühnenbild) und/oder Interessensgruppen (z. B. verschiedene sportliche Aktivitäten) im Wechsel mit freier Spielzeit in der Großgruppe und/oder Pausen- und Essenszeiten. Jeder aus dem Ferienspielteam kann hier seine Kenntnisse, Fähigkeiten und Stärken ausleben.
Also, noch mal im Überblick:

1. Rechtzeitige Teamfindung
2. Mottofindung und Festlegen des zeitlichen/örtlichen Rahmens
3. Mittel besorgen, Anträge für Finanzen stellen
4. Ausschreibung, Plakate, Anmeldezettel gestalten, kopieren, verteilen (Anmeldeschluss und Teilnehmerbeitrag nicht vergessen!)
5. Materialien einkaufen (Bastelbedarf, Getränke usw.)
6. Mehrere Teamtreffen mit guter Planung: Wer macht wann was?
7. Letzte Vorbereitungen klären: Wer begrüßt und verabschiedet die Kids? Wann finden die Groß- und wann die Kleingruppen statt? Wann und wie werden die Gruppen eingeteilt …?
8. Durchführung
9. Anschließende Besprechung
10. Fest, Fotos, Presse
11. Auswertung, Dankeschön, Feiern

„Auf (Nimmer-) Wiedersehen" – ein Projekt zum Abschied

Immer wieder im Leben und so auch im Gruppenalltag gibt es Abschiede. Abschiede von Menschen, von Klassenkameraden und durch den Tod lieber Mitmenschen. Selbst deine Gruppe wird sich irgendwann aus unterschiedlichen Gründen einmal auflösen. Während wir einen Anfang bzw. Erfolge immer wieder gerne und auch gut feiern, tun wir uns mit Abschieden sehr schwer. Da sie aber zum Leben dazugehören, ist es wichtig, auch solche Phasen bewusst und sinnvoll zu gestalten. Wenn du ein solches Projekt einmal durchführst, kannst du stolz auf dich sein, denn dann hast du sehr wertvolle pädagogische Arbeit geleistet, nämlich den Abschied zu thematisieren und ihm Sinn zu geben – mit Trauer, aber auch mit Freude und Gelassenheit.

Es gibt verschiedene Gründe, den Abschied zu thematisieren. Ganz konkret könnte es die Auflösung der eigenen Gruppe sein. Vielleicht mangels Teilnehmer, vielleicht auch, weil du wegziehst und die Gruppe selbst nicht mehr leiten kannst. Vielleicht geht auch nur ein GL oder einzelne Kids verlassen die Gruppe – Grund genug, das zur Sprache zu bringen!

Zum Thema „Abschied“ werdet ihr in den letzten Wochen noch einige Treffen organisieren. Wichtig ist, dass ihr den Kids sagt, dass sich die Gruppe in einiger Zeit auflösen wird und ihr diese Zeit bewusst erleben wollt. Alle sollen mithelfen, aus dieser Zeit trotz allem noch einmal eine schöne Zeit für die Gruppe zu machen.

Sicher werden auch deine Kids sich erst einmal Gedanken machen müssen, wie sie die Situation finden. Um Gefühle zum Ausdruck zu bringen und sie zu verarbeiten, eignet sich folgende Methode:

Der Abschied

Z: je nach Aufwand 3–4 Treffen
V: Die folgenden Abschiedssituationen werden auf Kärtchen geschrieben:
Mein letzter Schultag
Mein letzter Ferientag
Mein letzter Arbeitstag
Mein letzter Tag in unserer Wohnung
Mein letzter Tag mit meiner Freundin/
meinem Freund
Mein letzter Tag in meinem Heimatland
Abschied von unserer Gruppe.

Material: je nach Möglichkeiten (Papier, Stifte, Farbe, Videokamera usw.)

D: Die Kids können sich in Kleingruppen für ein Thema entscheiden, zu dem sie gemeinsam etwas gestalten und schaffen wollen. Sie sollen eine Abschiedssituation umsetzen. Das kann ein Rollenspiel, ein Theaterstück, ein Bild, ein Videofilm u.v.m. sein. Wichtig ist, dass du viele Materialien zur Verfügung stellst. Eine Gruppe könnte sogar mit dem Computer arbeiten und Texte schreiben oder eine „Homepage" der Gruppe entwerfen. Der Fantasie sind keine Grenzen gesetzt!

Die Kleingruppe soll sich zunächst für 20 Minuten zusammensetzen und einige Vorschläge erarbeiten, wie sie dieses Thema umsetzen könnte. Danach trefft ihr euch in der gesamten Gruppe und jede Kleingruppe stellt ihren Vorschlag kurz vor. Fragen und Absprachen können geklärt werden. Dann gibst du bekannt, wie viel Zeit die einzelnen Gruppen jetzt haben (mindestens zwei ganze Treffen). Weise darauf hin, dass du immer für Fragen zur Verfügung stehst und mithilfst, wenn du gebraucht wirst.

Am Ende der Zeit trefft ihr euch wieder, um den Abschlussabend zu organisieren. An diesem Abend sollen die Ergebnisse der Kleingruppen den ande-

ren präsentiert werden. Das Ganze könnt ihr mit einer Abschlussfete verbinden, die allerdings gut geplant werden sollte. Dazu können Freunde und Familienangehörige, aber auch Verantwortliche aus der Pfarrgemeinde eingeladen werden.

Den Spuren Gottes folgen – religiöse Impulse in der Gruppenarbeit

Du fragst dich vielleicht, warum erst sehr weit hinten in diesem Buch von Religiösem, vom Glauben und von Gott die Rede ist. Gehört in der kirchlichen Jugendarbeit diese Frage nicht ganz an den Anfang?

Der Titel des Kapitels drückt aus, dass es **das** Religiöse nicht gibt und nichts erzwungen werden kann. Alles, was wir in diesem Kapitel vorschlagen, sind Möglichkeiten, Gott ins Spiel zu bringen. Du wirst keine Gotteserfahrungen machen, wenn du nur diese Methoden anwendest. Vielmehr ist es ein Weg, den du mit deiner Gruppe gehen kannst. Dahinter steht jedoch unser persönlicher Glaube, dass Gott gefunden werden will, sich nur nicht so schnell entdecken lässt. Du musst also schon suchen und seinen Spuren folgen …

Stelle dir bitte zuerst folgende Situation vor: Ein Pfarrer oder eine Gemeindereferentin spricht dich nach einer Gruppenstunde oder nach einem Projekt an:

„Du machst in unserer Pfarre schon seit zwei Jahren Gruppenstunden. Sie sind gut besucht und daher nehme ich an, dass sie gut ankommen. Entschuldige bitte die Frage, aber redest du in dieser Zeit auch über Gott? Betet ihr schon mal? Und überhaupt: Wie religiös bist du eigentlich?"

Nimm dir für diese Frage ein paar Minuten Zeit! Versuche sie für dich selbst zu beantworten!

Die GL in der kirchlichen Jugendarbeit verstehen sich schon lange nicht mehr als **religiöse Vermittler**, die in ihren Gruppenstunden, Ferienfreizeiten und Projekten religiöse Impulse einfließen lassen oder gar katechetisches Wissen vermitteln. Wir haben ja bereits im Kapitel zur kirchlichen Jugendarbeit gesehen, dass die Motivation, in der kirchlichen Jugendarbeit mitzutun, nicht immer unmittelbar der Glaube und die dahinter stehende christliche Botschaft ist. So ist es nur eine logische Konsequenz, dass dieser Bereich in der Arbeit selten bis gar nicht thematisiert wird. Das ist noch verständlicher, wenn man konkret in die einzelnen Pfarrgemeinden schaut, in der – bis auf den wöchentlichen Gottesdienst – kaum religiöse oder thematische Impulse angesprochen und berücksichtigt werden; und schon gar nicht für Jugendliche. Der eigene Glaube sowie die Zugehörigkeit zur Kirche werden von Gemeindemitgliedern selten thematisiert und gelten eher als „Privatsache".

Auf der anderen Seite kommt häufig – und das zu Recht – die Forderung, dass in Gruppenstunden und Freizeiten auch religiöse Elemente einfließen müssen. Schließlich handelt es sich ja um *kirchliche* Jugendarbeit!

Aus der Erfahrung heraus können wir gegenüber den Pfarren, allen Verantwortlichen und den Gemeinden und Verbänden nur betonen, dass Jugendliche und Kinder religiösen Themen und Glaubensfragen gegenüber meist sehr aufgeschlossen und offen sind. Auch besteht durchaus die Bereitschaft, solche Themen anzusprechen. Nur erfordert dies eine Menge Feingefühl, sodass diejenigen, die dies versuchen, besser geschult und unterstützt werden sollten. Die meisten sind offen für neue Methoden. Viele wollen in ihren Gruppenstunden und Freizeiten nicht bloß spielen und rumalbern. Das große Problem, für das unser Kapitel eine Hilfe sein will, ist die Frage nach dem „Wie" – **Wie** kann ich mich auf die Suche nach Gott machen? Was muss ich beachten? Traue ich mir das zu? Welche Methoden sind geeignet?

Und daher ist es wichtig, dass wir das Kapitel zum Religiösen an das Ende des Buches stellen, weil es wichtig ist, auch in deiner Arbeit erst die vielen anderen Dinge zu beachten, bevor du dich an diese Themen wagst. Religiöse Einheiten können nicht immer direkt (manchmal aber sehr wohl schon zu Beginn!) in deiner Arbeit eingebunden werden. Erst wenn alles andere „stimmt", kannst du mit deinen Kids Gott gemeinsam suchen! Die kleinsten Schwierigkeiten und nicht bedachten Zusammenhänge können schnell vieles kaputt machen, obwohl unter anderen Umständen ein Thema oder Projekt gelungen wäre. Aber wenn alles „stimmt" und du das Gefühl hast, dass du es wagen kannst, dann bitten wir dich, versuche es einfach mal! Das Gelingen hängt von so vielen Faktoren ab, dass du nicht immer voraussehen kannst, wie sich die Gruppe verhalten wird. Selbst erfahrenen Menschen misslingen auch solche religiösen Einheiten.

Das soll auf dich keinesfalls pessimistisch wirken. Ganz im Gegenteil: Wenn du es wagst und dich auf den Weg machst, dann kannst du möglicherweise mehr erreichen, als viele in der Gesellschaft und in der Kirche. Du bringst Gott ins Spiel, gibst ihm Raum und Zeit und versuchst seinen Spuren zu folgen. Dann wird in der Tat die Erde ein bisschen himmlischer!

Und nun viel Spaß mit den erprobten Methoden und Mut zum Experiment!

Musik und Gott

„Mensch" (Herbert Grönemeyer)

Z: 30–60 Min.
V: CD mit dem Lied, Texte, CD-Player, Pappe, Stifte, Zeitschriften, Zeitungen
D: Die Frage nach dem Mensch-Sein und gleichzeitig auch die Frage nach der Beziehung zu Gott ist eine der wichtigsten Fragen des Lebens. Warum? Wieso? Wohin?
Du spielst das Lied vor. Danach schreiben alle ihre spontanen Gedanken ungeordnet auf ein großes Plakat („brain-storming") und stellen diese Gedanken anschließend vor. Dann wird der Text ausgeteilt und gelesen. Im anschließenden Gespräch fragst du alle, welches Bild vom Menschen im Lied gedacht wird: Wer ist der Mensch? Was ist das Besondere an ihm? Was ist zur Beziehung zwischen Mensch und Gott zu sagen? Diese Fragen können im Plenum oder in 2er- bzw. 3er-Gruppen bei einer Schreib-Meditation beantwortet werden.
Dann soll sich die Gruppe gemeinsam überlegen, wie sie ihre Ergebnisse, also ihre ganz eigene Inter-

pretation des Liedes, ihr Menschenbild oder ihr „Bild“ von Gott festhalten will. Dabei können von dir verschiedene Vorschläge genannt werden. Beispielsweise wird eine Bildcollage aus Zeitschriften und Zeitungen oder ein Bild aus verschiedenen „Menschen“ aus den Zeitschriften hergestellt.

Es gibt viele weitere Lieder, die sich für eine solche Methode eignen würden. Da sich gerade auf dem Musik-Markt vieles sehr schnell ändert, möchten wir hier keine weiteren Lieder vorschlagen. Du bist ja auch selbst in der Lage, geeignete Lieder herauszusuchen. Interessant wäre es auch, wenn ihr bestimmte Lieder, die eure Kids mitbringen, auf ihren religiösen Gehalt untersuchen und vielleicht einmal ein solches Lied mit dieser Methode besprechen würdet. Hier noch einige Methodenvorschläge:

Bildcollage: Zu einem Lied werden Gefühle und Ansichten in einer Collage (aus alten Zeitschriften und Zeitungen) zusammengeschnitten und -geklebt.

Schreib-Meditation: In Kleingruppen wird nicht über ein Thema gesprochen, sondern auf einem Blatt Papier miteinander „still“ geschrieben bzw. „gesprochen“.

Alles nur Geschmacksache?: Deine Kids bringen ihre Lieblingsmusik mit und sollen erzählen, warum sie gerade diese Musik hören.

Musik und Bewegung: Auch wenn niemand bei euch das Tanzen professionell erlernt hat, tanzt doch (fast) jeder gerne zur Musik. Veranstaltet doch eine kleine Disko, in der ihr ausprobiert, was ihr mit dem Körper nachempfinden könnt, wenn eine bestimmte Musik auf euch wirkt (Es müssen natürlich verschiedene Musikarten und -richtungen vorgespielt werden.)

Techno: Ein Titel aus dem Bereich des Technos und Trance wird mit geschlossenen Augen gehört. Du fragst alle, welche Bilder und Fantasien ihnen gerade durch den Kopf gehen. Woran denkt der Einzelne gerade? Wie geht es ihm dabei? Variante: Du kannst zu einem ruhigen Techno-Lied einen Meditationstext vorlesen. Hierzu eignen sich bestimmte Entspannungstexte oder leichte Gedichte und Gebete.

Video-Dreh: Nachdem ein Lied thematisiert wurde, könnt ihr zu diesem Lied auch ein Video drehen. Dabei sollte sich zumindest einer aus der Gruppe mit einer Videokamera auskennen. Vielleicht gibt es in der Pfarre oder Region Hilfe. Zunächst muss ein kleines Drehbuch erstellt werden und dann kann der Drehtag beginnen! Am Ende dieses kleinen Projektes solltet ihr euch euer Video auch gemeinsam ansehen.

Und es gilt: Je öfter du Musik und die damit verbundene Intensität und den Spaß integrierst, je öfter gerät die Sprache in den Hintergrund. Die Atmosphäre wird oftmals lockerer und intensiver. Und natürlich ist es dann sinnvoll, auch Lieder immer wieder zu singen, dazu zu tanzen oder möglicherweise ein eigenes Lied zu komponieren …

Aber auch die Frage nach Gott bewegt die Menschen, und vor allen Dingen auch Kinder und Jugendliche. Wer ist Gott eigentlich für dich? Wir schlagen dir für die Beschäftigung mit dieser Frage folgende Methode vor:

God is a DJ

A: ab 12 Jahre
Z: 45–90 Min.
V: Auf ein großes Plakat malt ihr einzelne Puzzle-Stücke. In einige schreibt ihr verschiedene Gottesvorstellungen. Wir haben uns hier für einige aus der Musik entschieden. Es eignen sich aber auch Bilder

usw. In diese Puzzle-Stücke schreibt ihr folgende Liedtitel (evtl. könnt ihr ja die Lieder besorgen): God is a DJ (faithless), One of us (J. Osborne), Seine Wege (Xavier Naidoo).

D: Wir müssen unsere Fantasie bemühen, um die Frage nach Gott zu beantworten. Gott will gesucht und gefunden werden. Welche Vorstellung von Gott hast du? Wir stoßen an die Grenzen unserer Fantasie und suchen nach Bildern und Symbolen, um Gott zu beschreiben. Auch die Erlebnisse und Erfahrungen – gute oder schlechte – prägen unser Gottesbild.

Das Plakat wird in die Mitte gelegt und in die leeren Puzzle-Stücke können eigene Bilder und Vorstellungen geschrieben werden. Am Ende könnt ihr über die Inhalte sprechen und vielleicht findet ihr sogar ein Puzzle-Stück, das euch besonders gefällt.

Bibel einmal anders

Biblische Texte gelten oft als langweilig und veraltet. Das ist aber ganz und gar nicht so! Es kommt nur darauf an, die Brücke zur heutigen Zeit zu schlagen. Und das kannst auch du als GL! Wage es doch einfach mal, einen Text aus der Bibel in einer der von uns nun vor-

geschlagenen Methoden umzusetzen. Du wirst überrascht sein!
Und ein weiterer Aspekt ist uns wichtig. Während wir in den ersten Methoden vieles nur ahnen konnten, haben wir mit der Bibel die Möglichkeit, mehr über Gott und Jesus von Nazareth zu erfahren. Vielleicht gibt ja die Bibel und die Beschäftigung mit Jesus uns eine Antwort ...

„Einmal Pizza Mista, bitte!" – „Das große Festmahl" (Matthäus 22, 1–10/ Lukas 14, 15–24)

A: ab 14 Jahre
Z: 1–2 Treffen
V: Du solltest dir vorher das Gleichnis aus der Bibel ansehen, sodass du den Text frei und spannend erzählen kannst.
Raum (am besten die Küche im Pfarrheim/Gemeindehaus) organisieren
Materialien: kopierter Bibeltext für alle, Zutaten für Pizza, Getränke
D: Erzähle zunächst den Bibeltext frei (Du kannst die dort angesprochenen Berufs- und Menschengruppen auch durch heutige ersetzen.). Frage nach ersten Eindrücken: Was haltet ihr von dem Text? Welche Berufsgruppen/Menschengruppen erwähnt der

Text? Warum ist ein Festmahl etwas so Bedeutendes? Was könnte Jesus speziell meinen, wenn er von dem „Festmahl" spricht? Welche Entschuldigungen kennst du selbst für das Ausschlagen einer so wichtigen Einladung von anderen Menschen?
Anschließend kannst du den Text austeilen und nochmals gemeinsam lesen lassen. Es ist wichtig, dass klar wird, dass es sich um ein Gleichnis aus dem Neuen Testament handelt. Jesus erzählte Gleichnisse, um den Mitmenschen in solchen Geschichten die Augen über Gott zu öffnen: Gott lädt uns immer wieder, trotz unserer Entschuldigungen, Fehler und Unzulänglichkeiten, zum großen Festmahl (Gemeinschaft mit Gott im Gottesdienst und später im Reich Gottes) ein.
Die Einladung: Ihr überlegt gemeinsam, wen ihr zu eurem Festmahl einladen wollt, denn ein solches wird jetzt von euch geplant. Ihr ladet Menschen zum Pizza-Essen ein! Ihr überlegt euch, wann und wen ihr einladen wollt (Eltern, Freunde, Lehrer, Pfarrer, Sekretärin, Polizist, Handwerker, Benachteiligte, Einsame, Passanten).
Das Festmahl: Eine Gruppe fertigt die Einladungen an und verteilt diese. Die andere Gruppe plant die Zubereitung der Pizza und bereitet sie dann vor dem Festmahl auch zu. Die andere Gruppe deko-

riert währenddessen den Raum und begrüßt die einzelnen Eingeladenen. Es sollte unbedingt gesagt werden, warum ihr zum Festmahl eingeladen habt und was für eine Gruppe ihr seid.

Und noch eine Methode, die man auch mit Jüngeren durchführen kann …

Wahnsinn! Warum lässt Gott das Leid zu? – Bibelarbeit zu den Klagepsalmen des Alten Testaments

Diese Methode eignet sich gut für einen Einstieg mit biblischen Texten, die ganz auf den Erfahrungen deiner Kids beruhen. Wir brauchen Texte die unseren eigenen Gefühlen, Gedanken und unseren Problemen Ausdruck verleihen. Da, wo wir keine Worte finden, hat die Bibel sie!
Du brauchst am Anfang auch gar nicht zu verraten, woher die Texte sind, und deine Kids werden später überrascht sein, wenn du sagst, woher diese Sätze kommen.

A: ab 10 Jahre
Z: 30–60 Min.
V: Einzelne Textstellen aus der Bibel auf kleine Pappstreifen schreiben, Stifte, leere Post- oder Schmuckkarten

D: In einer ruhigen und angenehmen Atmosphäre (Raum verdunkeln, Meditationsmusik, Kerzen) liegen die Pappstreifen mit den Zitaten aus der Bibel in der Mitte:

- *Mein Gott, mein Gott, warum hast du mich verlassen?*
- *Aber du bist heilig, du thronst über dem Lobpreis Davids.*
- *Ich bin wie ein Wurm und kein Mensch, der Spott der Leute und vom Volk verachtet.*
- *Sei mir nicht fern, denn die Not ist nahe, und niemand ist da, der hilft.*
- *Du umschließt mich von allen Seiten und legst deine Hand auf mich.*
- *Nehme ich die Flügel der Morgenröte und bliebe am äußersten Meer, so wird auch dort deine Hand mich ergreifen.*
- *Sieh her, ob ich auf dem Weg bin, der dich kränkt, und leite mich, dass ich mein Ziel finde!*

Wir haben uns für Zitate aus dem 22. und 139. Psalm entschieden. Vor allen Dingen die Klageverse regen zum Nachdenken an und geben große Identifikationsmöglichkeiten.
Es ist wichtig, auch solche Texte an die Hand zu bekommen, weil sie eine Möglichkeit des Sprechens

und Betens zu Gott sind: Ich kann ihm danken, ihn um etwas bitten, ihm aber auch mein Leid klagen. Denn in der Welt ist vieles im Argen und nicht immer ist dem Menschen klar, warum ihm gerade dieses schreckliche Leid widerfährt. Und es gibt die Möglichkeit – so zeigt es uns ja die Bibel – Gott dafür (an-)zuklagen und ihm unser Unverständnis zu sagen. Vieles ist dann schon leichter zu ertragen, wenn es erst einmal vor Gott getragen wurde.
Alle haben jetzt Gelegenheit, sich die vorliegenden Sätze in Ruhe durchzulesen und sich nach einiger Zeit einen Satz auszusuchen, der ihnen am besten gefällt. Dieser Satz wird anschließend auf eine leere Postkarte geschrieben und farbig verziert bzw. ausgemalt. Es entstehen ganz besondere und persönliche Schätze!
Du kannst am Ende auch noch eine Präsentationsrunde machen, in der alle kurz den Satz vorstellen und evtl. sagen, warum sie diesen bestimmten Satz gewählt haben.
Diese Methode kannst du auch mit vielen anderen biblischen Texten machen.

Was aus einem kleinen Korn alles werden kann – Bibelarbeit zum „Gleichnis vom Senfkorn“ (Markus 4, 30–32)

A: ab 12 Jahre

Z: 30 Min.

V: Material: Bibeltext, Senfkörner (einfacher sind Weizenkörner), Schüssel mit Erde, Karaffe mit Wasser, evtl. Kerzen, Meditationsmusik

D: Du liest das Gleichnis Jesu vor; ganz toll wäre es, wenn du dieses kurze Gleichnis bereits in eine Rahmenhandlung einbauen würdest. Menschen scheinen uns oft unscheinbar und können leicht übersehen werden. Aber aus einer kleinen Ursache wird manchmal eine große Wirkung: Und die Menschen staunen nicht schlecht. Ein weiterer Aspekt für die Rahmenhandlung ist der Hinweis auf ein Leben nach dem Tod (Achtung: schwieriges Thema, sinnvoll nur für Ältere). Das Weizenkorn stirbt (liegt leblos in deinen Händen) und muss erst eingepflanzt werden und wird durch Erde, Wasser und Licht zu einer neuen Pflanze. Nach einer kurzen Diskussionsrunde, bei der Beispiele für das Samenkorn und die möglichen Entwicklungen erwähnt werden können, erhält jeder aus der Mitte der Runde (dort stehen die Samenkörner, Wasser und Erde) ein Samenkorn. Du forderst alle auf, sich einen Samen zu nehmen und sich ihn bewusst anzusehen, anzufühlen. Dabei kannst du folgenden Text vorlesen:

„Fühle das Weizenkorn in deinen Händen. Nimm es zwischen zwei Finger und fühle, wie klein, hart und leblos es ist. Es fühlt sich an wie tot. (Pause)
Aber das Weizenkorn scheint nur leblos. Aus ihm kann etwas Großes entstehen. Wenn wir es einpflanzen und mit Muttererde, Wasser und Sonne versorgen, wird aus dem Weizenkorn langsam eine kleine Pflanze. Dieses kleine Weizenkorn steckt also voller Leben, das von dir entdeckt und entfacht werden will."

Anschließend können die Kids ihr Weizenkorn in die Schüssel mit Erde stecken. Vorher jedoch forderst du sie auf, jedem Samenkorn einen „Namen" zu geben: *Begegnung, Freundschaft, Liebe, Gespräch, Umarmung, unsere Gruppe, du, ich ...*
Damit setzt ihr als Gruppe und jeder Einzelne ein Zeichen; aus dem kleinen, unscheinbaren und „toten" Samenkorn wird möglicherweise eine große Wirkung. (Bitte jemanden, in den ersten Tagen die Samenkörner regelmäßig mit Wasser zu versorgen.)

Beten – online to God

Wie vieles andere auch, gehört das Beten fast nur noch in den privaten Bereich der Menschen. Es ist peinlich und unangenehm zuzugeben, dass ich bete. Aber wenn wir genau hinschauen, beten wir doch ganz oft am Tag, egal wo wir sind, egal welche Haltung wir einnehmen: Wir klagen oder danken kurz und bitten und hoffen, dieses und jenes möge uns gegeben werden oder nicht belasten. Es gibt viele Möglichkeiten, auch in der Gruppenstunde, das Thema „Beten" in den Mittelpunkt zu stellen. Eine kurze Methode möchten wir euch vorschlagen:

E-Mail für dich

A: ab 12 Jahre
Z: 45 Min.
V: Kopiere das folgende E-Mail-Dokument für alle. Schaffe eine ruhige Gruppen- und Raumatmosphäre.
D: Stell dir vor, du könntest Gott eine E-Mail schreiben. So kannst du auch mit ihm Kontakt aufnehmen, denn nach „oben" ist immer Verbindung. Diese Verbindung ist kostenlos. Na ja, fast, denn sie kostet dich nur Zeit.

Kirchliche Jugendarbeit

Datei Bearbeiten Ansicht Einfügen Format Extras Nachricht ?

Senden Ausschneiden Kopieren Einfügen Rückgängig Prüfen Rechtschre... Einfügen Dringlichkeit Signieren

Von:
An: gott@himmel.com
Cc:
Betreff:

Gott, ich hätte da eine E-mail für dich ...

Gottesdienst – die Sache Jesu braucht Begeisterte

Die Eucharistie, der Gottesdienst, ist die intensivste Begegnung mit Gott, Jesus und den Menschen untereinander. Vieles von dem Geheimnis können wir nur ahnen. Trotzdem wirkt auch der Gottesdienst für viele Kids und Jugendliche veraltet und daher uninteressant. Diese Tatsache muss die Kirche aber zum Anlass nehmen, auch neue Formen zu wagen und den Jugendlichen die Möglichkeit geben, ihre Vorstellungen von einem Gottesdienst umzusetzen. Wir möchten euch ermutigen, diesen Schritt mit eurer Gruppe oder den anderen GL eurer Pfarrgemeinde zu wagen. Wie wäre es, wenn ihr einmal einen eigenen (Jugend-)Gottesdienst plant, vorbereitet und durchführt? Kritik äußern kann jeder, aber es besser machen noch lange nicht! Also setzt euch zusammen und plant einen Gottesdienst zu einem bestimmten Thema. Gerade aus verschiedenen Themen der Gruppenstunden kann sich spontan ein Thema für einen Gottesdienst ergeben. Oder bestimmte Feste im Jahr. Oder ein Gottesdienst, der die Arbeit der Gruppen in der kirchlichen Jugendarbeit eurer Gemeinde vorstellt. Wir können euch hier keinen kompletten Gottesdienst vorstellen. Es gibt tolle vorbereitete Gottesdienste in Büchern und Heften (vgl. Literaturliste), die ihr umändern oder übernehmen könnt. Folgenden Weg schlagen wir euch aber vor:

- Absprache über ein Thema mit eurer Gruppe
- Absprache mit eurem Pastor über Thema und Termin
- Gibt es einen (Gospel-)Chor, der vielleicht singen kann? Welche Lieder werden gesungen?
- Wer kann euch bei diesem Vorhaben aus der Pfarrgemeinde helfen? Fragt nach!
- Macht euch auf die Suche nach Texten und vorgefertigten Gottesdiensten in Büchereien, im Pfarrbüro oder im Internet!
- Sprecht in der Gruppe über die Umsetzung des Themas! Achtet darauf, dass jeder von euren Kids eine Aufgabe bekommt (Texte abschreiben, Texte vorlesen, die Kirche mit Bildern u. ä. gestalten, Plakate für die Werbung gestalten und aushängen).

- Nach dem Gottesdienst könnt ihr ein Treffen aller Jugendlichen bei euch im Pfarrheim planen.

Dieses Kapitel hing ganz nah mit dem Kapitel zur kirchlichen Jugendarbeit zusammen. Und manchmal wünschen wir uns Jugendliche, die auch für religiöse Impulse offen sind. Wir wissen, dass es nicht immer einfach ist, solche Themen anzusprechen und sogar in deine Arbeit mit einfließen zu lassen. Aber wenn ihr es nicht seid, die sich auf diesen Weg machen, wer soll es denn sonst sein? Und von wem können Reformen und Neuerungen ausgehen, wenn nicht von euch?! In diesem Fall seid ihr wirklich die Zukunft der Kirche!

Alles, was man sonst noch als GRUPPENLEITER wissen sollte …

G wie Gremium, ist ein wichtiges Thema, denn deine Arbeit solltest du auch mal im Pfarrgemeinderat vorstellen und der Kirchenvorstand sollte deine Gruppenarbeit finanziell unterstützen; vielleicht habt ihr auch in eurer Gemeinde einen Sachausschuss Jugend, in dem du mitarbeitest.

R wie Rechte und Pflichten, die du als GL hast, wenn du die Aufsichtspflicht für eine Kindergruppe übernimmst (Zu diesem Thema musst du dich vorher auf jeden Fall gründlich informieren. Einige kurze Hinweise zu deinen Rechten und Pflichten als GL findest du im Kapitel „Deine Gruppe“, S. 31 ff.).

!

U wie Unterstützung, z. B. durch deinen Mentor, durch Erwachsene aus den Gremien, durch die Schulungsarbeit der Regionen oder Jugendämter.

P wie Pfarrgemeinde, in der du dich wohl fühlen solltest und die dir Chancen der Entwicklung als GL geben müsste, deren Strukturen du kennen solltest

(Wer hat was zu sagen ...).

P wie Partizipation, d. h. Mitbestimmung in der Gruppenstunde von deinen Kids („Was machen wir?“) und deine Beteiligung in der Gemeinde (Gremien o. ä.); hier geben die Jugendverbände ein gutes Vorbild.

E wie evangelische Kirche, die auch GL-Schulung und Gruppenarbeit vor Ort anbietet und mit der du ökumenisch zusammenarbeiten kannst. In der Jugendarbeit erleben wir auch immer wieder Wechsel von evangelischen und katholischen Jugendlichen in die Gemeinde, wo sie sich wohl fühlen, unabhängig von der Konfession.

N wie nachgedacht, nachgefragt und nachgemacht, um immer wieder gute Gruppenstunden zu gestalten ...

!

L wie Leiter-Card, die du beim örtlichen Jugendamt beantragen lassen kannst, und zwar über den Träger, bei dem du die Schulung gemacht hast. Du solltest 16 Jahre alt sein und den Erste-Hilfe-Kurs besucht haben. Für das Formular benötigst du ein Passfoto. Die JuLeiCa ist für drei Jahre bundesweit gültig. Mehr Infos findest du unter: www.juleica.de.

E wie Ehrenamt, denn du verdienst kein Geld als GL, aber viel Persönlichkeitsentwicklung und Verantwortungsgefühl und du kannst ein Ehrenamtlichkeitszeugnis vom Pastor ausstellen lassen, dass bei jeder Bewerbung anerkannt wird.

I wie Ideen, die du dir z. B. aus dem Internet holen kannst, sowohl neue Spiel- oder Kreativideen, als auch Tipps für Ausflüge oder Wochenendfahrten.

T wie Team und Teambegleitung, die für dich als GL eine Unterstützung bilden kann, da du ja nicht alleine deine Gruppe leitest und es sicherlich nicht nur eine Gruppe in eurer Gemeinde gibt.

E wie E-Mail. Hier ist unsere Adresse. Du kannst uns gerne jederzeit kontaktieren, uns auch deine kritische Rückmeldung zum Buch geben. Wir freuen uns über eine E-Mail von dir:
kontakt@gruppenleiter-buch.de

!

R wie Reflexion, d. h. Nachdenken, immer mal wieder, über das, was und wie du es als GL tust, ruhig auch einfach für dich allein mit unserem Buch.

Literaturtipps

Für den Gruppenleiter:

Faix, Tobias: Mentoring. Chancen für geistliches Leben und Persönlichkeitsprägung. Neukirchen-Vluyn 2000
Jugendhaus Düsseldorf e.V. (Hg.): Im Auge behalten. Alles über Aufsichtspflicht und Versicherung. Altenberge 2002
Katholische Junge Gemeinde (KJG): Kursknacker. Stuttgart-Rottenburg 1991 (zu beziehen über KJG-Diözesanstelle in Wernau/Neckar)
Müller, Katharina: Erste Hilfe: in Freizeit, unterwegs und im Haushalt. Stuttgart 1993
Reichle, Karl: Handbuch für Gruppenleiter. Berlin 1979
Sahliger, Udo: Aufsichtspflicht und Haftung in der Kinder- und Jugendarbeit. Münster 1992

Für gruppendynamische Prozesse:

Baer, Ulrich u.a.: Sag beim Abschied ... Spiele, Materialien und Methoden für Schlussphasen in der Gruppenarbeit. Seelze-Velber 1998
Bundesleitung Junge Gemeinde/Blauring und Jungwacht: Power in die Gruppe. 101 Ideen zum Energietanken. Luzern

Vopel, Klaus W.: Interaktionsspiele für Kinder. Salzhausen 1994 (Teil 1–4)
Vopel, Klaus W.: Störungen – Blockaden – Krisen. Experimente für Lern- und Arbeitsgruppen. Salzhausen 1984

Für die kirchliche Jugendarbeit und religiöse Impulse:

Abt. Kirchliche Jugendarbeit des Bistums Aachen/Theresa Küppers: Briefe der Kinder an den Bischof von Aachen Dr. Heinrich Mussinghoff. Aachen 2001
Breitenbach, Roland: Sehnsucht, die Leben heißt. 16 etwas andere Jugendgottesdienste. Mainz 1997
Griemens, Bruno: Online to heaven. Gebete für Jugendliche. Kevelaer 2000
KJG Verlagsgesellschaft: Beten durch die Schallmauer. Impulse und Texte. Düsseldorf 1994
Schnitzler-Forster, Jutta: … und plötzlich riecht's nach Himmel. Religiöse Erlebnisräume auf Ferienfreizeiten und in Gruppen. Stuttgart 1996
Vonderberg, Karlheinz: Neue Psalmen für Jugendliche. Stuttgart 1996

Für Projektarbeit/thematische Inhalte:

Baer, Ulrich (Hg.): Lernziel Lebenskunst. Spiele, Projekte, Konzepte und Methoden für Jugendarbeit und Schule. Seelze-Velber 1997

Brinkhoff, Ralf: Das ganze Leben ist ein Spiel. Einstiegsspiele für die pädagogische Arbeit mit Kids ab 12 Jahren. Löhne 1997

Hohmann, Stefan/Kügeler, Hermann: Flugstunden für die Seele. Düsseldorf 2000

Kromer, Ingrid und Otto: Identitätssuche. Stuttgart 1995

Müller, Else: Du spürst unter deinen Füßen das Gras. Autogenes Training in Phantasie- und Märchenreisen. Frankfurt/Main 1993

Schilling, Dianne: Miteinander klarkommen. Toleranz, Respekt und Kooperation trainieren. Mühlheim a.d. Ruhr 2000

Für Spielpädagogik:

Baer, Ulrich (Hg.): Gruppe und Spiel. Zeitschrift für kreative Gruppenarbeit. Seelze-Velber

Baer, Ulrich: 666 Spiele für jede Gruppe, für alle Situationen. Seelze-Velber 1994

Funcke, Amelie u.a.: Geisterparty auf Burg Schreckenstein und weitere 11 Spieleketten für Kinder, Jugendliche und Erwachsene. Saarbrücken 1994